Il n'y a pas
de plus grand amour

MÈRE TERESA

Il n'y a pas de plus grand amour

*Traduit de l'anglais par
Jean-François Colosimo*

FRANCE LOISIRS
123, boulevard de Grenelle, Paris

Titre original: *No Greater Love*

Édité par Becky Benenate et Joseph Durepos,
publié par New World Library, Novato, California.

Édition du Club France Loisirs, Paris
réalisée avec l'autorisation des Éditions Jean-Claude Lattès

© 1997 by New World Library, Novato, California.
Première édition en langue anglaise parue sous le titre
The Mother Teresa Reader — A Life For God,
textes recueillis par LaVonne Neff, publiés par Servant Publications, Inc.

© 1997, Éditions Jean-Claude Lattès pour la traduction française.
ISBN : 2-7441-1663-7

« *Dès qu'une âme a reçu la grâce de connaître Dieu, elle doit se mettre en quête.* »

Mère Teresa

Préface

Si Mère Teresa captive l'opinion mondiale, ce n'est pas parce qu'elle représente une grande figure de la littérature ou de la théologie mais qu'elle est une personne d'une immense ouverture et compassion. Elle a répondu à sa vocation, un appel intérieur la menant à entrer dans les ordres, puis à vouer l'œuvre de sa vie au seul service des pauvres, et enfin à fonder sa propre communauté religieuse. En raison de son état de pur abandon, elle ressent la souffrance du monde, celle des vieillards comme celle des jeunes enfants, et celle de tous les autres. Elle connaît de première main ce que signifie compatir et, plus encore, l'abîme du pâtir.

Au cours des réflexions intimes que contient ce livre, l'on apprendra quelques-uns des secrets qui font cette personne, souvent célébrée comme petite par la taille mais grande par l'esprit ; celle-là même qui s'attarde à prendre soin de ceux que, précisément, le monde habituellement néglige. C'est sa conception singulière du christianisme, animée d'une perception d'abord spirituelle, d'une vraie méthode de prière, de la présence transfigurante de Jésus qui, nous dit-elle, garde si élevées sa détermination, sa compassion.

Certaines de ses idées et expressions, particulièrement celles liées à la piété, pourront sembler naïves, et inutilement empreintes de modestie au lecteur savant d'aujourd'hui. Moi-même, en parcourant ses sentences, j'ai été parfois ramené à mes souvenirs de la petite école, lorsque des Sœurs m'enseignaient à « mortifier les sens et le corps ». Mais la sagesse ne consiste-t-elle pas en la découverte de ces voies qui font taire l'agitation quotidienne et qui libèrent des soucis du Moi ? Dans le cas de Mère Teresa, il apparaît que la pratique, toute une vie, de la pacification de l'*ego* par la prière peut conduire à une existence intense et engagée, à un riche épanouissement de la personnalité. La psychologie moderne a beaucoup à apprendre de ce que les religions enseignent depuis des millénaires — que le renoncement au Moi mène à la découverte de l'âme.

À lire ses paroles, je m'efforce de les recevoir non pas comme naïves, mais comme savantes dans un sens qui demeure trop souvent inconnu aujourd'hui. Plutôt que d'éviter la souffrance, elle se la rend intime. Plutôt que de vouloir héroïquement dépasser la mort, ainsi que l'entend l'idéologie médicale de l'Occident contemporain, elle porte toute son attention sur l'affect, la conscience de celui ou de celle qui agonise. Et qu'elle soit si attentive aux sentiments des enfants représente, selon moi, un signe évident de sa profonde initiation aux voies de l'âme.

Pour reprendre le jargon psychologique courant, l'intuition, la conscience de soi, le travail sur soi sont essentiels à tout projet de réalisation individuelle. Mais il se pourrait bien que Mère Teresa ait une chose ou deux à enseigner aux psychologues — ainsi, lorsqu'elle nous raconte la transformation de cette femme, qui, sur son judicieux conseil, commença à se vêtir plus modestement. Par-delà la foi sans détour de Mère Teresa, sous sa fondamentale fidélité, perce une connaissance subtile des ressorts de la personne humaine.

Certains lecteurs ressentiront peut-être comme un obstacle le fait que Mère Teresa expose sa foi chrétienne de manière si peu apologétique, y préférant le langage de l'amour et de la prière. C'est toutefois l'agression devenue quotidienne des formes inquiètes, réactives,

prosélytes de la religion qui ont rendu les institutions religieuses odieuses à un grand
nombre. À ces lecteurs, je conseillerais de
renoncer volontiers aux connotations norma-
tives et infantiles dont ils revêtent le langage
théologique, et de se mettre à l'écoute de l'exigeant et dérangeant message qu'à l'évidence
Mère Teresa conçoit comme sa foi. Si je peux
lire un bouddhiste m'exhortant à percevoir la
nature du Bouddha dans un animal, pareillement, je peux être inspiré par Mère Teresa à
voir Jésus dans celui ou celle qui meurt, à saisir le corps mystique du Christ dans l'entière
humanité.

Trop souvent la religion est pensée, vécue
comme une pure activité spirituelle, et parfois
même comme un exercice intellectuel
composé d'articles et de commentaires. En
Mère Teresa, dans sa vie, ses paroles, nous
trouvons l'âme de la religion, sa foi demeurant
inséparable de sa compassion, et sa compassion de ses actes. C'est dans les groupes religieux à prétention purement spiritualiste, que
l'on trouvera, au contraire, des disciples prêts à
proclamer bruyamment, de manière intolé-
rante, leur Credo — et je n'observe guère
d'attention aux pauvres, aux malades parmi
ceux qui désirent tant nous voir tous adopter
leurs croyances. Lorsque la religion est d'abord

un fait intellectuel, les attitudes spirituelles ne peuvent jamais se traduire en actes de compassion pour le monde.

Ce qui est absent des paroles passionnées de Mère Teresa est justement une quelconque volonté de nous convertir à ce qu'elle croit. Elle se contente de décrire la foi puissante qui est la sienne, de nous dire son labeur auprès des pauvres et des malades. Les scènes qu'elle rapporte ne sont pas faites pour nous convaincre de ses propres convictions religieuses; elles démontrent, plutôt et simplement, comment les êtres humains, lorsqu'on leur accorde les signes les plus élémentaires d'amour et de sollicitude, en ressortent profondément changés, redécouvrent leur humanité, leur dignité et connaissent au moins quelques instants de bonheur.

Beaucoup aiment décrire Mère Teresa comme le rare exemple d'une « sainte vivante ». J'adhère à ce sentiment. Nous avons besoin de saints, tout comme nous avons besoin des mots d'autrefois tels que le péché, la grâce, la foi, le mal. Et ce, afin de pouvoir réfléchir philosophiquement, théologiquement sur notre expérience; nos analyses se limitant trop aujourd'hui aux seules dimensions psychologiques, sociologiques ou politiques. Ces façons réductrices de penser amoindrissent l'expérience, la rendent superficielle et, dans le même temps, procurent l'illusion qu'à être sains et saufs de tout, nous serions libérés de tout problème.

La parole de Mère Teresa, son action ne s'inscrivent pas dans un tel registre limité, de nature sociale ou scientifique. La prière, le don de soi n'ont rien perdu de leur signification pour elle, et c'est là que résident ses valeurs, l'œuvre de sa vie. À la considérer comme une sainte, nous pourrions juger son exemple impossible à suivre, mais les pensées qu'elle livre ici montrent, comme elle-même le dit, que nous pouvons tous devenir des saints — non pas sans imperfection ni incohérence, non pas sans la nécessité de confesser chaque jour nos chutes répétées, mais voués à la communauté des êtres, particulièrement ceux dans la détresse, et qui composent notre famille, notre voisinage, le monde qui est nôtre.

Thomas Moore, mars 1997.
(auteur du *Soin de l'âme*)

De la Prière

« *La prière est en toutes choses, en chaque geste.* »

Mère Teresa

« *Qu'avez-vous à dormir ? Relevez-vous et priez...* »

Jésus à ses disciples, au
jardin de Gethsémani ; *Luc* 22,46.

Je ne crois pas qu'il existe quelqu'un qui nécessite autant que moi le secours et la grâce de Dieu. Il m'arrive de me sentir si désarmée, si faible. C'est pour cela, je crois, que Dieu se sert de moi. Parce que je ne peux reposer sur mes propres forces, je recours à lui vingt-quatre heures sur vingt-quatre. Et si la journée comptait encore plus d'heures, il me faudrait recourir à Son aide et à Sa grâce toutes ces heures durant. Nous tous devons nous accrocher à Dieu par la prière.

Mon secret est infiniment simple. Je prie. Par la prière, je deviens une dans l'amour avec le Christ. Je saisis que Le prier, c'est L'aimer.

En réalité, il n'est qu'une seule vraie prière, une seule prière substantielle : le Christ Lui-même. Il n'y a qu'une seule voix qui monte de la surface de la terre : la voix du Christ. La prière parfaite ne consiste pas en une multitude de mots, mais en la ferveur du désir qui élève le cœur jusqu'à Jésus.

Aime prier. Ressens souvent le besoin de prier tout au long de la journée. La prière dilate le cœur jusqu'à ce que celui-ci puisse recevoir le don de Dieu qui est Lui-même. Demande, cherche, et ton cœur grandira au point de Le recevoir, de Le garder comme ton bien.

Nous désirons tellement bien prier, et puis nous échouons. Alors nous nous décourageons et renonçons. Si tu veux prier mieux, tu dois prier plus. Dieu accepte l'échec, mais Il ne veut pas du découragement. Toujours plus, Il nous veut tels des enfants, toujours plus humbles, toujours plus emplis de gratitude dans l'oraison. Il veut que nous nous souvenions de notre appartenance à tous au corps mystique du Christ, qui est prière perpétuelle.

Nous devons nous aider l'un l'autre dans nos prières. Libérons nos esprits. Ne prions pas longuement, que nos prières ne s'étirent pas sans fin, mais qu'elles soient brèves, pleines d'amour. Prions pour ceux qui ne prient pas. Souvenons-nous que celui qui veut pouvoir aimer, doit pouvoir prier.

L'on nomme oraison mentale, la prière qui vient, ensemble, de l'intelligence et du cœur. Nous ne devons jamais oublier que nous sommes destinés à la perfection et qu'il nous faut sans cesse la rechercher. La pratique quotidienne de l'oraison mentale est indispensable à cette fin. Parce qu'elle est l'air vital que respire notre âme, la sainteté est impossible sans elle.

Ce n'est que par l'oraison mentale, la méditation spirituelle que l'on peut cultiver le don de la prière. L'oraison mentale grandit à mesure de la simplicité c'est-à-dire dans l'oubli de soi, le dépassement du corps et des sens, et le renouvellement des aspirations qui nourrissent notre prière. Il s'agit, ainsi que le dit saint Jean Vianney, de « fermer nos yeux, clore notre bouche et ouvrir notre cœur ». Lors de la prière vocale, nous parlons à Dieu; lors de la prière mentale, Il nous parle. C'est à ce moment qu'Il se transfuse en nous.

Nos prières devraient être faites de mots brûlants, jaillissant de la fournaise de nos cœurs remplis d'amour. Dans tes prières, adresse-toi à Dieu avec grande vénération et grande confiance. Ne lambine pas, ne te précipite pas, ne t'exclame pas, ne t'abandonne pas au mutisme, mais avec dévotion, avec une immense douceur, en toute simplicité, sans aucune affectation, offre ta louange à Dieu de tout ton cœur et de toute ton âme.

Qu'une fois seulement l'amour de Dieu

prenne entièrement et absolument possession de ton cœur — et que cet amour lui devienne une seconde nature; et que ton cœur ne souffre plus que pénètre en lui ce qui est contraire; et qu'il s'applique continuellement à la croissance de cet amour en cherchant à plaire à Dieu en toute chose, en ne Lui refusant rien; et qu'il accepte comme venant de Sa main tout ce qui lui advient; et qu'il soit ferme à ne jamais commettre volontairement ou consciemment aucune faute, à moins qu'il n'y échoue, pour avoir à goûter l'humilité et apprendre dans l'instant à se relever — et alors, un tel cœur priera continuellement.

Les gens ont faim de la Parole de Dieu qui apportera la paix, qui apportera l'unité, qui apportera la joie. Mais tu ne peux donner ce que tu n'as pas. C'est pour cela qu'il te faut approfondir ta vie de prière.

Sois sincère dans tes prières. La sincérité, c'est l'humilité, et tu n'acquerras l'humilité qu'en acceptant les humiliations. Tout ce que l'on a dit sur l'humilité ne peut suffire à te l'enseigner. Tout ce que tu as lu sur l'humilité ne peut suffire à te l'enseigner. Tu n'apprendras l'humilité qu'en acceptant les humiliations. Et tu rencontreras l'humiliation tout au long de ta vie. Or la plus grande des humiliations est de savoir que tu n'es rien. Ce que tu apprends lorsque tu te retrouves face à Dieu, dans la prière.

Souvent, un regard profond et fervent sur le Christ constitue la meilleure des prières : je Le regarde et Il me regarde. Dans le face-à-face avec Dieu, tu ne peux que savoir que tu n'es rien, absolument rien.

Tu jugeras difficile de prier si tu ignores comment le faire. Or chacun de nous doit s'aider à prier. En premier lieu, en recourant au silence. Nous ne pouvons nous mettre en la présence immédiate de Dieu, si nous ne pratiquons pas le silence, intérieur comme extérieur.

Faire le silence à l'intérieur n'est en rien aisé, mais c'est un indispensable effort. Seulement dans le silence nous trouverons une nouvelle puissance, l'authentique unité. La puissance de Dieu deviendra la nôtre afin d'accomplir comme il se doit toutes choses ; et il en ira de même pour l'unité de nos pensées avec Ses pensées, de l'unité de nos prières avec Ses prières, de l'unité de nos actions avec Ses actions, de notre vie avec Sa vie. L'unité est le fruit de la prière, de l'humilité, de l'amour.

C'est dans le silence du cœur que Dieu parle. Si tu te places face à Dieu dans le silence et la prière, Dieu te parlera. Et tu sauras alors que tu n'es rien. Ce n'est que lorsque tu connais ton néant, ta vacuité que Dieu peut te remplir de Lui-même. Les âmes des grands orants sont des âmes de grand silence.

Le silence nous fait voir autrement chaque chose. Nous avons besoin du silence pour atteindre les âmes. L'essentiel n'étant pas ce que nous disons, mais ce que Dieu dit — ce qu'Il nous dit, ce qu'Il dit à travers nous. Dans un tel silence, Il nous écoutera ; dans un tel silence, Il s'adressera à notre âme ; et nous entendrons Sa voix.

Écoute en silence. Parce que ton cœur déborde de milliers de choses, tu ne peux y entendre la voix de Dieu. Mais dès lors que tu te mets à l'écoute de la voix de Dieu dans ton cœur pacifié, celui-ci se remplit de Dieu. Cela requiert beaucoup de sacrifices. Si nous pensons, voulons prier, il faut nous y préparer. Sans délai. Il ne s'agit là que des premières étapes vers la prière, mais à ne pas les accomplir avec détermination, jamais nous n'atteindrons l'ultime, la présence de Dieu.

C'est pourquoi l'apprentissage doit être parfait dès le début : l'on se met à l'écoute de la voix de Dieu dans son cœur; et, dans le silence du cœur, Dieu se met à parler. Puis, de la plénitude du cœur monte ce que la bouche doit dire. Là s'opère la jonction. Dans le silence du cœur, Dieu parle et tu n'as qu'à L'écouter. Puis, une fois ton cœur entré en plénitude, parce qu'il se retrouve empli de Dieu, empli d'amour, empli de compassion, empli de foi, il revient à ta bouche de se prononcer.

Souviens-toi, avant de parler, qu'il est nécessaire d'écouter et seulement alors, du tréfonds d'un cœur épanoui, peux-tu parler et Dieu t'entendre.

Les contemplatifs et les ascètes de tous les temps, de toutes les religions ont toujours recherché Dieu dans le silence, la solitude des déserts, des forêts, des montagnes. Jésus lui-même vécut quarante jours en parfaite solitude, passant de longues heures, cœur à cœur avec le Père, dans le silence de la nuit.

Nous-mêmes sommes appelés à nous retirer par intermittences dans un plus profond silence, dans l'isolement avec Dieu. Être seul avec Lui, non pas avec nos livres, nos pensées, nos souvenirs, mais dans un parfait dénuement; demeurer en Sa présence — silencieux, vide, immobile, dans l'attente.

Nous ne pouvons pas trouver Dieu dans le

bruit, l'agitation. Vois la nature : les arbres, les fleurs, l'herbe des champs croissent en silence ; les étoiles, la lune, le soleil se meuvent en silence. L'essentiel n'est pas ce que nous pouvons dire, mais ce que Dieu nous dit, et ce qu'Il dit à d'autres à travers nous. Dans le silence, Il nous écoute ; dans le silence, Il parle à nos âmes. Dans le silence, il nous est donné le privilège d'entendre Sa voix :

Silence de nos yeux.
Silence de nos oreilles.
Silence de nos bouches.
Silence de nos esprits.
... dans le silence du cœur,
Dieu parlera.

Le silence du cœur t'est nécessaire afin d'entendre Dieu partout — dans la porte qui se ferme, la personne qui te réclame, les oiseaux qui chantent, et les plantes, et les animaux.

Si nous sommes attentifs au silence, il nous sera aisé de prier. Il y a tant et plus de bavardages, de choses répétées, de choses rapportées dans ce qui se dit et s'écrit. Notre vie de prière souffre tant et plus de ce que nos cœurs ne soient pas silencieux.

Je garderai plus sagement le silence de mon cœur, afin que, du cœur silencieux, j'entende Ses mots de consolation et que de la plénitude de mon cœur, à mon tour, je console Jésus sous le voile d'affliction du pauvre.

∞

La prière authentique est union avec Dieu, une union aussi vitale que l'est celle du fruit de la vigne et du sarment, selon l'image même que nous donne Jésus dans l'Évangile de Jean. Nous avons besoin de la prière. Nous avons besoin que cette union porte fruit. Le fruit est ce que nous accomplissons de nos mains — nourriture, vêtement, argent, ou toute autre chose. Tout cela est le fruit de notre unité avec Dieu. Nous avons besoin d'une existence vouée à la prière, à la pauvreté, vouée aussi au sacrifice afin de tout accomplir avec amour.

Le sacrifice et la prière se complètent l'un l'autre. Il n'y a pas de prière sans sacrifice et il n'y a pas de sacrifice sans prière. La vie de Jésus fut d'intime union avec Son Père et Il ne fit que traverser le monde. Il doit en aller ainsi pour nous. Marchons à Son côté. Nous devons donner au Christ la possibilité de nous utiliser, de faire de nous Sa parole et Son œuvre, de partager Sa nourriture et Son vêtement dans le monde d'aujourd'hui.

Si nous ne répandons pas autour de nous la lumière du Christ, le sentiment de ténèbres qui prévaut dans le monde ira grandissant.

Nous sommes appelés à aimer le monde. Et Dieu a tellement aimé le monde qu'Il lui a donné Jésus. Aujourd'hui, Il aime tellement le monde qu'Il nous donne à lui, toi et moi, pour que nous soyons Son amour, Sa compassion, et Sa présence par une vie de prière, de sacrifices, d'abandon. La réponse que Dieu attend de toi est que tu deviennes, que tu sois contemplatif.

Prenons Jésus au mot, à Sa parole, et soyons des contemplatifs au cœur du monde car, si nous avons la foi, nous sommes en Sa perpétuelle présence. Par la contemplation, l'âme puise directement dans le cœur de Dieu les grâces que la vie active a la charge de distribuer. Nos existences doivent être liées au Christ vivant qui est en nous. Si nous ne vivons pas en présence de Dieu, nous ne pouvons persévérer.

Qu'est-ce que la contemplation? Vivre la vie de Jésus. C'est ainsi que je la comprends. Aimer Jésus, vivre Sa vie au sein de la nôtre, vivre la nôtre au sein de la Sienne. C'est cela la contemplation. Pour voir, pour contempler, un cœur pur nous est nécessaire — lavé de la jalousie, de la colère, de l'esprit de querelle, et particulièrement de l'absence de charité. Selon moi, la contemplation ne revient pas à s'enfermer dans un cabinet obscur, mais à permettre à Jésus de vivre Sa passion, Son amour, Son humilité en nous, de prier avec nous, d'être avec nous, et de sanctifier à travers nous.

Notre vie et notre contemplation sont une. Ce n'est pas là une question de faire mais d'être. Il s'agit en fait de la pleine jouissance de notre esprit par l'Esprit Saint qui insuffle en nous la plénitude de Dieu et nous envoie dans l'entière création comme Son message personnel d'amour.

Nous ne devrions perdre aucun temps à rechercher des expériences extraordinaires au sein de notre vie contemplative, mais devrions vivre de la seule foi, toujours en éveil, prêts à Sa venue en accomplissant nos tâches journalières avec un amour et une flamme extraordinaires.

Cette vie contemplative qui doit être nôtre, qu'est-elle ? La conscience de la présence constante de Dieu et de Son tendre amour pour nous dans les plus petites choses de la vie. Être en permanence à Sa disposition, L'aimer de tout notre cœur, de tout notre esprit, de toute notre âme, et de toute notre force, quelle que soit la forme sous laquelle Il vient vers nous. Est-ce que ton esprit, ton cœur courent vers Jésus aussitôt que tu te réveilles ? C'est cela la prière, tourner ton esprit, ton cœur vers Dieu.

La prière est la vraie vie d'unité — être un avec le Christ. Aussi est-elle nécessaire comme l'air que l'on respire, le sang qui circule dans nos veines et toute autre chose qui nous maintient en vie par la grâce de Dieu. Prier généreusement ne pourrait pourtant suffire ; nous devons prier avec dévotion, ferveur, piété. Nous devons prier avec persévérance, dans un grand élan d'amour. Et si nous ne prions pas, notre témoignage sera vain, notre parole sonnera creux.

Nous avons aussi besoin que l'on prie pour nous afin que nous servions mieux l'œuvre de Dieu, afin qu'à chaque instant nous sachions nous en remettre complètement à Lui. Notre devoir ? Faire tous les efforts nécessaires afin de toujours marcher en présence de Dieu, de Le percevoir dans chaque être rencontré, et de vivre la prière sans discontinuer.

Se connaître nous fait plier le genou, posture indispensable à l'amour. Car la connaissance de Dieu engendre l'amour, et la connaissance de soi engendre l'humilité. Se connaître est essentiel à nos vies. Comme saint Augustin l'a dit : « Fais d'abord le plein en toi-même et seulement ensuite tu seras à même de donner. » La connaissance de soi garde aussi de l'orgueil, surtout lorsqu'au cours de la vie il arrive que l'on soit tenté. La grande erreur commune est de se croire assez fort pour ne point chuter. Mets ton doigt au feu, il brûlera. Et cette épreuve du feu, nous aurons à la traverser. La tentation est permise par Dieu. Ce qui dépend de nous est de refuser d'y succomber.

La prière, pour être féconde, doit venir du cœur et pouvoir toucher le cœur de Dieu. Vois comment Jésus a enseigné à Ses disciples de prier. Chaque fois que nous prononçons le « Notre Père », Dieu, je le crois, porte le regard sur Ses mains, là où Il nous a gravés (« Je t'ai gravé sur la paume de ma main. » (Cf. *Isaie* 49,16.) Il contemple Ses mains et Il nous voit là blottis en elles. Quelle merveille que la tendresse de Dieu !

Prions, disons le « Notre Père », vivons-le et alors nous serons des saints. Tout y est : Dieu, moi-même, le prochain. Si je pardonne, alors je peux être saint, je peux prier. Tout provient d'un cœur humble ; ayant un tel cœur, nous saurons comment aimer Dieu, nous aimer nous-mêmes et aimer notre prochain. Il n'y a là rien de compliqué et pourtant nous compliquons tant nos vies, les aggravant de tant de surcharges. Une seule chose compte : être humble et prier. Plus vous prierez, mieux vous prierez.

Un enfant ne rencontre aucune difficulté à exprimer son intelligence candide en des termes simples qui disent beaucoup. Jésus n'a-t-il pas intimé à Nicodème : « Deviens comme un petit enfant » ? Si nous prions selon l'Évangile, nous permettrons au Christ de grandir en nous. Prie donc avec amour, à la manière des enfants, avec l'ardent désir de beaucoup aimer, et de rendre aimé celui qui ne l'est point.

Tous nos mots seront inutiles à moins qu'ils ne proviennent de l'intérieur. Les mots qui ne transmettent pas la lumière du Christ accroissent les ténèbres. Aujourd'hui, plus que jamais, nous avons à prier, pour demander la lumière afin de connaître la volonté de Dieu, pour demander l'amour afin d'accepter la volonté de Dieu, pour trouver le chemin afin d'accomplir la volonté de Dieu.

« *La prière est une force immense, supranaturelle qui ouvre le cœur.* »

Sainte Thérèse de Lisieux

« *C'est pourquoi je vous le dis ; tout ce que vous demandez en priant, croyez que vous l'avez déjà reçu, et cela vous sera accordé.* »

Jésus, *Marc* 11, 24.

De l'Amour

« *Aimez-vous les uns les autres comme Dieu aime chacun de vous, d'un amour intense et singulier. Que chacun soit aimable pour l'autre : mieux vaut commettre des fautes avec gentillesse que de réaliser des miracles sans gentillesse.* »

Mère Teresa

« *À ceci tous reconnaîtront que vous êtes mes disciples : si vous avez de l'amour les uns pour les autres.* »

Jésus, *Jean* 13, 25.

Jésus vint en ce monde à une seule fin. Il vint nous apporter la Bonne Nouvelle que Dieu nous aime, que Dieu est amour, qu'Il t'aime et qu'Il m'aime. Comment Jésus nous a-t-Il aimés toi et moi? En donnant Sa vie.

Dieu nous aime d'un amour tendre. C'est tout ce que Jésus est venu nous enseigner : le tendre amour de Dieu. « Je t'ai appelé par ton nom : tu es à Moi. » (*Isaïe*, 43,1.)

Tout l'Évangile est très, très simple. M'aimes-tu? Alors, obéis à mes commandements. De dix mille façons, il n'y est question que d'une seule chose : « Aimez-vous les uns les autres. »

« Tu aimeras le Seigneur ton Dieu, de tout ton cœur, de toute ton âme et de tout ton esprit. » (*Deutéronome*, 6,5). C'est là l'ordre de notre grand Dieu, et il ne peut ordonner l'impossible. L'amour est un fruit de toutes les saisons, à la portée de chaque main. Tous peuvent le cueillir. Sans limite.

Chacun peut atteindre cet amour par la méditation, par l'esprit de prière et le sacrifice, par une intense vie intérieure. Ne pense pas que l'amour, pour être authentique, doive être extraordinaire.

Ce dont nous avons besoin est d'aimer sans nous épuiser. Comment une lampe brûle-t-elle? Par la consomption perpétuelle d'infimes gouttes d'huile. Et que sont ces gouttes d'huile dans nos propres lampes? Ce sont les petites choses de la vie quotidienne : la fidélité, un mot de gentillesse, une pensée pour les autres, notre façon de demeurer silencieux, de regarder, de parler, et d'agir. Ne cherche pas Jésus loin de toi. Il n'est pas là au-dehors; il est en toi. Garde ta lampe allumée, et tu le reconnaîtras.

Ces mots de Jésus, « Comme je vous ai aimés, aimez-vous les uns les autres », ne devraient pas seulement nous illuminer mais consumer l'égoïsme qui ralentit la croissance de la sainteté. Jésus « nous aima jusqu'à la fin », jusqu'à l'extrême limite de l'amour : la croix. Cet amour doit venir de l'intérieur, de notre union avec le Christ. Aimer doit nous être comme vivre ou respirer, jour après jour, jusqu'à notre mort.

꽃

J'ai tant expérimenté la faiblesse humaine,

sa fragilité, et encore aujourd'hui j'en fais l'expérience. Mais de cet état aussi, nous devons nous servir. Il nous faut œuvrer pour le Christ avec un cœur humble, avec l'humilité du Christ. Il vient, nous met à Son service pour être Son amour et Sa compassion dans le monde en dépit de nos faiblesses et de nos fragilités.

Un jour, j'ai ramassé un homme qui gisait dans le caniveau. Son corps était couvert de vers. Je l'ai porté jusqu'à notre hospice, et là qu'a dit cet homme ? Il n'a proféré aucune malédiction. Il n'a blâmé personne. Il a simplement dit : « J'ai vécu comme un animal, dans la rue, mais c'est comme un ange que je vais mourir, comme quelqu'un qui a été aimé et dont on a pris soin ! » Trois heures nous furent nécessaires pour le laver. Finalement, l'homme leva les yeux vers la Sœur et dit : « Ma Sœur, je m'en retourne à la maison — chez Dieu. » Et puis il mourut. Jamais je n'ai vu un sourire aussi lumineux que celui que je vis alors sur le visage de cet homme. Il s'en était retourné à la maison — chez Dieu. Vois ce que l'amour peut accomplir ! Il est possible que la jeune Sœur n'y pensa pas sur le moment, mais elle avait touché le corps du Christ. Jésus n'a-t-il pas déclaré « dans la mesure où vous l'avez fait à l'un de ces plus petits de mes frères, c'est à Moi que vous l'avez fait » (*Matthieu*, 25,40) ? Et c'est ainsi, à ce point que, toi et moi, nous nous inscrivons dans le plan de Dieu.

Tâchons de comprendre combien est tendre l'amour de Dieu. Car Lui-même dit dans l'Écriture : « Même si une mère pouvait oublier son enfant, je ne t'oublierais pas. Je t'ai gravé sur la paume de ma main. » (Cf. *Isaïe*, 49, 15-16.) Quand tu te sens seul, quand tu te sens rejeté, quand tu te sens malade et oublié, souviens-toi que tu Lui es précieux. Il t'aime. Montre à ton tour cet amour pour les autres, car c'est là tout ce que Jésus est venu nous enseigner.

Me revient à la mémoire une mère de douze enfants dont le dernier était horriblement estropié. Il m'est impossible de décrire quelle créature il était. J'offris spontanément de recevoir l'enfant dans notre maison où il en est tant d'autres qui souffrent pareillement. La femme se mit à pleurer. « Pour l'amour de Dieu, ma Mère, s'écria-t-elle, ne me dites pas cela ! Cet enfant est le plus grand don que Dieu ait fait à moi-même et à ma famille. Tout notre amour se dirige vers lui. Nos vies seraient vides si on l'éloignait de nous. » Son amour était plein de compréhension et de tendresse. Possédons-nous un tel amour à cette heure ? Saisissons-nous que notre enfant, notre mari, notre femme, notre père, notre mère, notre sœur ou frère, a besoin de cette compréhension, de la chaleur de notre main ?

Je n'oublierai jamais ce jour, au Venezuela, où je rendais visite à une famille qui nous avait fait cadeau d'un agneau. Je venais pour la remercier et, là, je vis un enfant des plus handicapés. Je demandai à la mère : « Quel est le nom de l'enfant ? » La mère proféra une réponse des plus belles. « Nous l'appelons "Maître d'Amour", car il ne cesse de nous enseigner comment aimer. Tout ce que nous faisons pour lui est, en acte, notre amour pour Dieu. »

Nous revêtons une grande importance aux yeux de Dieu. Jamais je ne me lasse de répéter, encore et encore, que Dieu nous aime. C'est une chose merveilleuse que Dieu Lui-même m'aime tendrement. C'est pour cela que nous devrions avoir du courage, de la joie, et la certitude que rien ne peut nous séparer de l'amour du Christ.

Je ressens que trop souvent nous nous concentrons sur les seules dimensions négatives de l'existence — sur ce qui est mauvais. Si nous étions plus désireux de voir le bien, les choses belles qui nous entourent, nous serions à même de transformer nos familles. De là, nous pourrions faire changer nos voisins de palier, et puis les autres qui vivent dans notre quartier, dans notre ville. Nous serions alors à même d'apporter la paix et l'amour à notre monde qui en est si avide.

Si nous voulons vraiment conquérir le monde, nous ne pourrons le faire avec des bombes et autres moyens de destruction. Conquérons le monde avec notre amour. Entrelaçons nos vies, tissons-les des liens du sacrifice et de l'amour, et il nous sera possible de conquérir le monde.

De mirifiques projets sont inutiles pour qui entend montrer un grand amour à l'égard de Dieu et du prochain. C'est l'intensité de l'amour que nous mettons dans nos gestes qui les rend beaux aux yeux de Dieu.

La paix et la guerre commencent à l'intérieur de chaque foyer. Si nous voulons vraiment que la paix règne sur le monde, commençons par nous aimer les uns les autres au sein de chaque famille. Alors qu'il nous est parfois difficile d'échanger un sourire — ainsi du mari pour sa femme, ainsi de la femme pour son mari !

Pour que l'amour soit authentique, il doit être avant tout un amour du prochain. Nous devons aimer ceux qui sont les plus proches de nous, dans notre propre famille. De là, l'amour se répandra vers qui en aura besoin.

Il est facile d'aimer ceux qui sont à l'autre bout du monde. Il n'est pas toujours facile d'aimer ceux qui vivent près de nous. Il est plus facile d'offrir un plat de riz pour calmer l'affamé, que de consoler, en recevant chez soi, le malheureux ou l'exclu.

Je veux que tu te mettes en quête du pauvre chez toi. Par-dessus tout, ton amour doit commencer là. Je veux que tu présentes la Bonne Nouvelle à ceux qui sont autour de toi. Je veux que tu te préoccupes du voisin le plus proche. D'ailleurs, connais-tu ton voisin ?

∽

C'est de l'abondance du cœur que parle la bouche. Si ton cœur est empli d'amour, tu diras l'amour. Vous tous, j'aimerais que vos cœurs débordent d'amour.

N'imagine pas que l'amour, pour qu'il soit vrai et dévorant, ait à être prodigieux. Non. Ce que requiert l'amour est le désir perpétuel d'aimer Celui que nous aimons.

Un jour, j'ai trouvé, lovée contre un tas de gravats, une femme brûlante de fièvre. Alors qu'elle était sur le point de mourir, elle ne cessait de répéter : « C'est mon fils qui est responsable ! » Je la pris dans mes bras et la transportai jusqu'au couvent. Chemin faisant, je la pressai de pardonner à son fils. Cela prit du temps avant que je ne puisse l'entendre dire : « Oui, je lui pardonne. » Elle disait cela dans un authentique mouvement de miséricorde alors qu'elle était près de passer dans l'au-delà. Cette femme n'avait pas conscience qu'elle était souffrante, dévorée par la fièvre, mourante. Ce qui lui brisait le cœur, c'était le manque d'amour de son propre fils.

Les âmes saintes aussi, parfois, traversent de grandes épreuves intérieures et connaissent l'obscurité. Mais, si nous voulons que d'autres deviennent conscients de la présence de Jésus, nous devons être les premiers à être convaincus de celle-ci.

Il y a des milliers de gens qui désireraient avoir ce que nous avons et pourtant Dieu nous a choisis pour être là où nous sommes, afin de partager la joie d'aimer les autres. Il veut que nous nous aimions les uns les autres, que nous nous donnions les uns aux autres jusqu'à en avoir mal. Peu importe combien nous donnons, ce qui compte c'est l'amour que nous mettons dans notre don.

Selon les mots mêmes du Saint-Père, chacun de nous doit être capable de « laver ce qui est sale, réchauffer ce qui est tiède, fortifier ce qui est faible, illuminer ce qui est sombre ». Nous ne devons pas avoir peur de proclamer l'amour du Christ et d'aimer comme il a aimé.

Là où Dieu est, il y a l'amour ; et là où l'amour est, il y a toujours une possibilité de servir. Le monde est affamé de Dieu.

Quand nous verrons tous Dieu les uns dans les autres, nous nous aimerons les uns les autres comme Il nous aime tous. C'est là l'accomplissement de la Loi, s'aimer les uns les autres. C'est tout ce que Jésus est venu nous enseigner : que Dieu nous aime, qu'Il veut que nous nous aimions les uns les autres comme Il nous aime.

Nous devons savoir que nous avons été créés en vue de grandes choses, non seulement pour être un matricule dans le monde, non seulement pour obtenir des diplômes et des certificats, ou pour exercer telle profession ou telle autre. Nous avons été créés pour aimer et être aimés.

∽

Sois toujours fidèle dans les petites choses, car en elles réside notre force. Pour Dieu, rien n'est petit. Il n'entend rien diminuer. Pour Lui, toutes les choses sont infinies. Pratique la fidélité dans les choses les plus minimes, non pas pour leur vertu propre, mais en raison de cette grande chose qu'est la volonté de Dieu — et que, moi-même, je respecte infiniment.

Ne recherche pas des actions spectaculaires. Nous devons délibérément renoncer à tout désir de contempler le fruit de notre labeur, et accomplir seulement ce que nous pouvons, du mieux que nous le pouvons, et laisser le reste entre les mains de Dieu. Ce qui importe c'est le don de toi-même, le degré d'amour que tu mets dans chacune de tes actions.

Ne t'autorise pas le découragement face à un échec, dès lors que tu as fait de ton mieux. Refuse aussi la gloire lorsque tu réussis. Rétro-cède tout à Dieu avec la plus profonde grati-tude.

Si tu te sens abattu, c'est un signe d'orgueil qui montre combien tu crois en ta propre puis-sance. Ne te préoccupe pas plus de ce que pensent les gens. Sois humble et rien ne te dérangera jamais. Le Seigneur m'a lié là où je suis. C'est Lui qui m'en déliera.

Lorsque nous nous saisissons d'un malade ou d'un nécessiteux, nous touchons le corps souffrant du Christ et ce contact suffit à nous rendre héroïques; il nous fait oublier la ten-dance naturelle à la répulsion. Il nous faut les yeux d'une foi profonde pour percevoir le Christ dans le corps brisé et les vêtements souillés sous lesquels se cache le plus beau des fils de l'Homme. Nous devrions avoir les mains du Christ pour pouvoir toucher ces corps abîmés par la douleur et la souffrance. L'amour extrême ne se mesure pas — il se contente de donner.

Les œuvres de charité ne sont rien d'autre que l'épanchement de l'amour de Dieu qui doit nous gouverner.

La charité est comme une flamme vivante : plus sec est le combustible, plus vivace est la flamme. Pareillement, nos cœurs, quand ils sont libérés de tout engagement terrestre, peuvent librement se soumettre afin de servir. L'amour de Dieu doit engendrer le fait de servir sans restriction ni retour. Plus le labeur paraît dégoûtant, plus grand doit être l'amour, surtout lorsqu'il s'agit de secourir le Seigneur affublé des guenilles du pauvre. La charité, pour être féconde, doit nous coûter. Alors que l'on parle beaucoup de charité aujourd'hui, nous ne prêtons guère attention au fait que Dieu met le commandement d'aimer le prochain à égalité avec le premier commandement.

Pour être capables d'aimer, il nous faut la foi, car la foi est l'amour en acte; et aimer en acte n'est autre que servir. Afin que nous soyons capables d'aimer, nous devons voir et toucher. La foi en acte par le fait de prier, la foi en acte par le fait de servir: l'un et l'autre sont la même chose, le même amour, la même compassion.

Il y a quelques années de cela — comment pourrais-je l'oublier? —, une jeune fille française vint à Calcutta. Elle semblait si déprimée. Elle alla travailler à l'hospice des mourants. Puis, dix jours plus tard, elle voulut me voir. Elle m'embrassa et me dit: « J'ai trouvé Jésus!

— Où L'as-tu trouvé? lui demandai-je alors.

— À l'hospice, me répondit-elle.

— Et qu'as-tu fait après L'avoir trouvé?

— Je me suis rendue à la confession et à la communion pour la première fois depuis quinze ans.

— Et qu'as-tu fait d'autre? lui demandai-je encore.

— J'ai envoyé à mes parents un télégramme leur annonçant que j'avais trouvé Jésus. »

La contemplant, je lui déclarai: « Maintenant, va faire tes bagages et retourne-t-en chez toi. Rentre à la maison et donne la joie, l'amour et la paix à tes parents. » Elle revint donc dans son pays, radieuse car son cœur était rempli de cette joie qu'elle apportait à sa famille! Pourquoi? Parce qu'elle avait perdu l'innocence de sa jeunesse et l'avait recouvrée.

Dieu aime que celui qui donne soit joyeux. Le meilleur moyen de manifester notre gratitude à l'égard de Dieu, ainsi qu'aux autres, est de tout accepter avec joie. Un cœur joyeux s'accorde naturellement avec un cœur embrasé par l'amour. Les pauvres se sentirent attirés par Jésus parce qu'une plus haute puissance résidait en Lui, surabondait de Lui — de Ses yeux, de Ses mains, de Son corps; un pouvoir totalement manifeste, présent fait à Dieu et aux hommes.

Que rien ne puisse nous déranger au point d'être pleins de tristesse et de découragement et de nous laisser confisquer la joie de la résurrection. La joie n'est pas une simple question de tempérament lorsqu'il s'agit de servir Dieu et les âmes. Elle est toujours difficultueuse. Et c'est là une raison de plus pour tâcher de l'acquérir et la faire grandir dans nos cœurs. Quand bien même nous aurions peu à donner, il nous resterait néanmoins la joie qui sourd d'un cœur amoureux de Dieu.

Partout, dans le monde, les gens sont affamés et assoiffés de l'amour de Dieu. Nous répondons à ce manque lorsque nous répandons la joie. Elle est aussi l'un des meilleurs remparts contre la tentation. Jésus ne peut prendre pleine possession d'une âme que si celle-ci s'abandonne joyeusement.

∽

Un jour quelqu'un me demanda : « Êtes-vous mariée ? » Et je lui répondis : « Oui, et je considère qu'il est parfois très difficile de sourire à Jésus car il peut être très exigeant. »

Dieu est, au-dedans de moi, une présence plus intime que celle de moi à moi-même : « En Lui nous avons la vie, le mouvement et l'être. » (*Actes*, 17, 28.) C'est Lui qui donne la vie à tous, qui donne la puissance et l'être à tout ce qui existe. Et s'Il ne soutenait toute chose de Sa présence, toute chose prendrait fin et retournerait s'abîmer dans le néant. Sache que tu es bordé et enveloppé par Dieu, que tu baignes en Dieu. L'amour de Dieu est infini. Avec Dieu, rien n'est impossible.

« *Au terme de notre existence, nous serons jugés par l'amour.* »

Saint Jean de la Croix

« *Car Dieu a tant aimé le monde qu'il a donné Son Fils unique afin que quiconque qui croit en lui ne se perde pas mais ait la vie éternelle.* »

Jésus, *Jean* 3, 16.

Du Don

« *Donne tes mains pour servir et ton cœur pour aimer.* »

Mère Teresa

« *En vérité, je vous le dis, cette veuve qui est pauvre, a mis plus que tous ceux qui mettent dans le Trésor. Car tous ont mis de leur superflu, mais elle, de son indigence, a mis tout ce qu'elle possédait...* »

Jésus, *Marc* 12, 43-44.

Je vais te raconter une histoire. Une nuit, un homme vint nous trouver et me dit : « Il y a une famille de huit enfants qui n'a pas mangé depuis des jours. » Prenant de la nourriture avec moi, j'allai les voir. Immédiatement, les visages de ces petits gamins défigurés par la faim me frappèrent. On ne pouvait y lire ni tristesse ni chagrin, mais seulement la profonde souffrance due à l'inanition. Alors que je donnais le riz à la mère, elle divisa le paquet en deux et se précipita, la moitié sous le bras, hors de chez elle. Quand elle revint, je lui demandai :

« Où êtes-vous allée ?

— Chez mes voisins ; eux aussi ont faim », répondit-elle simplement.

Je ne fus pas surprise de son don — y a-t-il en fait plus généreux que les pauvres ? J'étais étonnée qu'elle sût qu'ils étaient affamés. N'est-ce pas là une règle que lorsque nous souffrons, nous sommes si concentrés sur nous-mêmes que nous n'avons guère de pensées pour les autres ?

Ici, à Calcutta, un certain nombre de non-chrétiens et de chrétiens travaillent ensemble à l'hospice des mourants, ou ailleurs. Certains, encore, offrent de prendre soin des lépreux. Il arriva qu'un Australien qui nous rendait visite fît une importante donation. Mais il ajouta : « Cela demeure, après tout, périphérique. Maintenant je veux donner quelque chose de moi-même. » Depuis, il vient régulièrement à l'hospice des mourants. Là, il fait la toilette des malades, s'entretient avec eux. Cet homme ne donne pas seulement son argent, mais aussi son temps. L'un et l'autre, il aurait pu les dépenser à son profit. Mais ce qu'il veut c'est se donner lui-même.

Souvent, je demande à ce que les dons n'aient rien à voir avec l'argent. Quelles sont les choses que l'on ne peut absolument pas acheter ? Ce que je désire est la présence du donateur, afin qu'il touche ceux à qui il donne, afin qu'il leur sourie, afin qu'il leur consacre son attention.

Si nos pauvres meurent de faim, ce n'est pas parce que Dieu les néglige. C'est parce que ni toi ni moi ne sommes assez généreux. C'est parce que nous ne sommes pas des instruments d'amour dans les mains de Dieu. Parce que nous ne reconnaissons pas le Christ quand, une fois de plus, il nous apparaît dans l'homme affamé, dans la femme esseulée, dans l'enfant qui cherche un âtre où se réchauffer.

Parfois les riches semblent très désireux de partager, à leur manière toutefois. Et il est bien dommage qu'ils ne donnent jamais au point de ressentir qu'eux aussi sont dans le besoin. Les nouvelles générations, particulièrement les enfants, savent cela bien mieux. Il est des petits Anglais qui font des sacrifices pour pouvoir offrir un *muffin* à nos gamins. Il est des petits Danois qui font des sacrifices pour pouvoir offrir aux nôtres leur verre de lait quotidien. Et des petits Allemands qui font de même pour pouvoir offrir à de plus pauvres des fortifiants. Ce sont là des voies concrètes pour enseigner l'amour. Quand ces enfants auront grandi, ils sauront ce que donner veut dire.

Il y a quelque temps de cela, j'ai fait un voyage en Éthiopie. Nos Sœurs travaillaient là-bas durant la terrible sécheresse que l'on sait. Alors que j'étais sur le point de repartir, je me suis retrouvée entourée d'une foule d'enfants. Chacun d'entre eux voulait donner quelque chose. « Prends ça pour les enfants ! Apporte-leur ça, donne-leur ça ! » criaient-ils. Ils avaient tant de cadeaux pour nos pauvres. Puis, un tout petit, qui pour la première fois de sa vie venait de recevoir un morceau de chocolat, vint vers moi et me dit : « Je ne veux pas le manger. Prends-le et donne-le aux enfants. » Immense était ce que donnait ce tout petit. En donnant quelque chose qui lui était infiniment précieux, il le donnait entièrement.

As-tu jamais connu la joie de donner ? Ce n'est pas de ton abondance que je veux que tu donnes. Les collecteurs de fonds profession-nels, je ne les ai jamais admis. Jamais. Je veux que tu donnes de toi-même. Le plus important est l'amour que tu mets dans le don.

Pas plus je ne veux que les gens donnent par facilité, pour faire place nette. Certaines per-sonnes, à Calcutta, ont tant d'argent qu'elles veulent s'en débarasser — afin de l'épargner autrement, de le dissimuler.

J'ai reçu, il y a quelque temps de cela, un colis sous papier Kraft. Que pouvait-il conte-nir ? Des timbres, des cartes postales ou quel-que autre chose du même genre ? Je le mis de côté. Quelques heures plus tard, je l'ouvris, toujours en toute innocence. Je n'en crus pas mes yeux. Le colis contenait vingt mille rou-pies ; aucune mention de l'expéditeur, aucun mot d'accompagnement : peut-être était-ce seulement là une somme que l'on voulait sous-traire au fisc.

Je n'aime pas que l'on m'envoie ce dont on veut, en fait, se débarrasser. Donner est tout autre chose. C'est partager.

Je ne veux pas non plus que tu donnes ce que tu as de reste. Je veux que tu donnes de *ton vouloir*, et que tu le ressentes comme tel !

L'autre jour, j'ai reçu quinze dollars d'un homme qui, depuis vingt ans, est paralysé. La maladie ne lui a laissé que l'usage de sa main droite. La seule compagnie qu'il tolère est celle du tabac. Acceptez ses mots : « Je me suis arrêté de fumer pendant une semaine. Voici l'argent que j'ai ainsi pu économiser. » Cela lui avait été certainement un dur sacrifice. Avec son argent, j'ai acheté du pain, et l'ai apporté à des miséreux. Ainsi, ensemble, celui qui a donné et ceux qui ont reçu ont connu la joie.

Il est une chose que, tous, nous devons apprendre. La chance de partager notre amour avec les autres est un don de Dieu. Qu'il en aille pour nous comme il en allait pour Jésus. Aimons-nous les uns les autres comme Il nous a aimés. Aimons-nous les uns les autres d'un amour indivis. Expérimentons la joie d'aimer Dieu et de nous aimer les uns les autres.

Pour chaque maladie, il existe un nombre infini de médicaments et de traitements. Mais tant qu'une main douce prompte à servir, un cœur généreux prompt à chérir ne s'offrent pas, je ne crois pas que l'on puisse jamais guérir de cette terrible affection qu'est le manque d'amour.

Aucun d'entre nous n'a le droit de condamner qui que ce soit. Et cela, même lorsque nous voyons des gens sombrer, sans comprendre pourquoi. Jésus ne nous invite-t-il pas à ne pas juger ? Peut-être avons-nous participé à rendre ces gens tels qu'ils sont. Nous devons comprendre qu'ils sont nos frères et nos sœurs. Ce lépreux, cet ivrogne, ce malade sont nos frères parce que eux aussi ont été créés pour un plus grand amour. Nous ne devrions jamais l'oublier. Jésus-Christ lui-même s'identifie à eux lorsqu'Il dit : « Ce que vous avez fait aux plus petits de mes frères, c'est à moi que vous l'avez fait. » Et peut-être ces gens-là se retrouvent-ils à la rue, dépourvus de tout amour et de tout soin, parce que nous leur avons refusé tout intérêt, toute affection. Sois doux, infiniment doux à l'égard du pauvre qui souffre. Nous comprenons si peu ce qu'il traverse. Le plus difficile est de n'être pas accepté.

S'il est une chose qui nous assurera toujours le Ciel, c'est bien les actes de charité et de générosité dont nous aurons rempli nos existences. Saurons-nous jamais quel bien peut apporter un simple sourire? Nous proclamons combien Dieu accueille, comprend, pardonne. Mais en sommes-nous la preuve vivante? Voit-on en nous, vivants, cet accueil, cette compréhension et ce pardon?

Soyons sincères dans nos relations les uns avec les autres. Ayons le courage l'un et l'autre de nous accepter comme nous sommes. Ne soyons pas étonnés, soucieux de nos échecs respectifs; voyons plutôt le bien qui est en chacun de nous, trouvons-le car chacun de nous a été créé à l'image de Dieu. N'oublions pas que nous ne sommes pas encore des saints mais que nous nous efforçons de le devenir. Soyons donc extrêmement patients quant à nos fautes et à nos chutes.

Ne te sers de ta langue que pour le bien des autres, car de l'abondance du cœur parle la bouche. Il nous faut avoir avant de pouvoir donner. Ceux, dont la mission est de donner, doivent d'abord grandir dans la connaissance de Dieu.

Il n'y a pas si longtemps, une très riche dame hindoue est venue me voir. Après s'être assise, elle m'a déclaré : « J'aimerais participer à votre œuvre. » En Inde, de plus en plus de gens nous offrent ainsi leur aide. Je lui donnai mon accord. Mais la pauvre femme me confia aussitôt une de ses faiblesses : « J'aime les saris élégants. » Celui qu'elle portait ce jour-là devait effectivement avoir coûté quelque huit cents roupies. Soit cent fois plus que le mien.

Je priai alors la Vierge Marie de m'aider à formuler la réponse adéquate à la requête de cette femme. Et je lui répondis : « Commençons par les saris. La prochaine fois que vous en achèterez un, plutôt que de le choisir parmi ceux à huit cents roupies, prenez-en un à cinq cents. Et avec la différence offrez quelques saris à des femmes démunies. » Aujourd'hui cette brave femme porte des saris à cent roupies. Et ce, parce que je lui ai demandé de ne pas en acquérir de moins cher. Elle m'a confessé que cela avait changé sa vie. Maintenant, elle sait ce que signifie partager. Elle m'a assuré avoir reçu plus qu'elle n'a donné. Je pense qu'une personne attachée aux richesses, vivant dans le souci de la richesse, est en fait des plus pauvres. Toutefois, si une telle personne met son argent au service des autres, alors elle devient riche, très riche.

La tendresse a converti plus de gens que le zèle, la science ou l'éloquence. La sainteté croît si vite, là où il y a de la tendresse. Le monde est désespérément en quête de douceur et de tendresse.

N'oublie pas que nous avons besoin l'un de l'autre.

La conscience naturelle qui permet de discerner le bien du mal existe en chaque être humain. J'ai affaire, à des milliers de personnes, chrétiennes ou non chrétiennes, et l'on peut voir cette conscience à l'œuvre dans leur vie, les rapprocher de Dieu. En chacun de nous subsiste une faim incommensurable de Dieu. Si nous étions tous capables de découvrir l'image de Dieu dans notre prochain, penses-tu que nous aurions encore besoin de tanks et de généraux?

« *Aime totalement celui qui se donna totalement Lui-même par amour de toi.* »

Sainte Claire d'Assise

« *Donnez, et l'on vous donnera...* »

Jésus, *Luc* 6, 38.

De la Sainteté

« *Notre mission est de transmettre l'amour de Dieu — non pas d'un Dieu mort, mais d'un Dieu vivant, un Dieu d'Amour.* »

Mère Teresa

« *Apprenez-leur à observer tout ce que je vous ai prescrit. Et voici que je suis avec vous pour toujours jusqu'à la fin du monde.* »

Jésus, *Matthieu* 28, 20.

Ce que Dieu nous dit — et non pas l'instrument dont il se sert pour le dire —, tel doit être notre souci. Je ne suis qu'une plume entre ses doigts. Que demain il trouve quelqu'un d'encore plus insignifiant, d'encore plus désarmé, et il accomplira, je crois, avec lui et par lui, de plus grandes merveilles encore.

Nous le savons tous. Il est un Dieu qui nous aime, Celui qui nous a fait. Nous tournant vers Lui, nous pouvons Lui demander : « Mon Père, aide-moi maintenant. Je veux être saint, je veux être bon, je veux aimer. » La sainteté n'est pas un luxe destiné à une élite ; elle n'est pas réservée à quelques-uns. Nous y sommes destinés, toi, moi et tous les autres. C'est une tâche aisée car en apprenant à aimer nous apprenons à être saints.

Afin de le devenir, la première démarche est de le vouloir. Jésus veut que nous soyons saints comme Son Père l'est. La sainteté consiste en l'accomplissement de la volonté de Dieu, dans la joie.

Dire « Je veux être saint » signifie : « Je vais me dénuder de tout ce qui n'est pas Dieu. Je vais me dénuder et vider mon cœur de toutes les choses matérielles. Je vais renoncer à ma volonté propre, à mes goûts, à mes fantaisies, à mon inconstance ; et je vais devenir un esclave ardent de la volonté divine. »

D'une volonté sans brèche, je vais aimer Dieu, je vais Le choisir, je vais me précipiter vers Lui, je vais Le rejoindre et je vais Le faire mien. Aussi tout ne dépend-il que de ces quelques mots : « Je veux » ou « Je ne veux pas ». C'est en cela que je dois insuffler toute mon énergie : « Je veux. »

Devenir saint requiert l'humilité et la prière. Jésus nous a enseigné comment il faut prier, et Il nous a dit aussi d'apprendre, en suivant Son exemple, à être doux et humble de cœur. Rien de tout cela ne peut être accompli à moins que nous ne sachions ce qu'est le silence. L'humilité ainsi que la prière grandissent à l'ombre d'une oreille, d'une intelligence, et d'une langue qui ont goûté le silence auprès de Dieu, au sein duquel il s'adresse au cœur. Donnons-nous vraiment la peine d'apprendre la leçon de sainteté donnée par Jésus, au cœur doux et humble. La première instruction que livre le cœur est d'examiner notre conscience, et le reste — aimer, servir — suivra.

Un tel examen n'est pas de notre seul ressort, mais relève d'un étroit échange entre nous et Jésus. Sans perdre une seconde dans l'inutile contemplation de nos propres misères, il s'agit d'élever nos cœurs vers Dieu, de laisser Sa lumière nous illuminer.

Si tu es humble, rien ne t'atteindra, ni la louange, ni le mépris, car tu sauras alors ce que tu es. Si l'on te condamne, tu n'en seras pas découragé; et si quiconque te désigne comme un saint, tu ne t'en glorifieras en rien. Si tu es un saint, Dieu soit loué! Si tu es un pecheur, ne le demeure point. Le Christ nous réclame de viser au plus haut, non pas d'être comme Abraham, David, ou tel autre juste, mais d'être comme notre Père céleste.

« Ce n'est pas vous qui m'avez choisi, mais c'est moi qui vous ai choisis. »

Jésus, *Jean* 15,16.

Je suis habitée par le sentiment que sans cesse, partout, est revécue la Passion du Christ. Sommes-nous prêts à participer à cette Passion? Sommes-nous prêts à partager les souffrances des autres, non seulement là où domine la pauvreté mais aussi partout sur la terre? Il me semble que la grande misère et la souffrance sont plus difficiles à résoudre en Occident. En ramassant quelqu'un d'affamé dans la rue, en lui offrant un bol de riz ou une tranche de pain, je peux apaiser sa faim. Mais celui qui a été battu, qui ne se sent pas désiré, aimé, qui vit dans la crainte, qui se sait rejeté par la société, celui-là éprouve une forme de pauvreté bien plus profonde et douloureuse. Et il est bien plus difficile d'y trouver un remède.

Les gens ont faim de Dieu. Les gens sont avides d'amour. En avons-nous conscience ? Le savons-nous ? Le voyons-nous ? Avons-nous des yeux pour le voir ? Si souvent, notre regard se promène sans se poser. Comme si nous ne faisions que traverser ce monde. Nous devons ouvrir nos yeux, et voir.

Puisque nous ne pouvons voir le Christ, comment lui exprimer notre amour ? Nous voyons notre prochain, aussi pouvons-nous faire pour lui ce que nous ferions pour le Christ. Soyons ouverts à Dieu afin qu'Il puisse se servir de nous. Mettons l'amour en acte. Commençons par notre famille, nos voisins de palier. Oui, c'est difficile, mais c'est là que tout commence. Nous sommes les collaborateurs du Christ, des sarments féconds accrochés à la treille.

Souviens-t'en. L'individu compte à nos yeux. Aimer une personne réclame de s'en rapprocher. À attendre un nombre donné pour agir, nous nous perdrons dans les chiffres, les statistiques et jamais nous ne pourrons manifester quelque respect ou amour à quiconque. Chaque être au monde m'est unique.

Alors que nos Sœurs résidaient à Ceylan, il arriva qu'un ministre d'État me déclara quelque chose de très étonnant : « Vous savez, ma Mère, j'aime le Christ, mais je hais les chrétiens. » Je lui demandai comment il pouvait en être ainsi. « Parce que les chrétiens ne nous communiquent pas le Christ. Ils ne vivent pas pleinement leur vie chrétienne », me répondit-il. Gandhi avait dit quelque chose d'analogue : « Si les chrétiens vivaient leur vie de chrétien, il n'y aurait plus un seul Hindou en Inde. » N'est-ce pas là une vérité ? Cet amour pour le Christ devrait faire que nous nous dépensions sans compter.

Quelle est la volonté parfaite de Dieu à notre endroit ? Tu dois devenir saint. La sainteté est le plus grand don que Dieu puisse nous faire car Il nous a créés à cette fin. Se soumettre, pour celui ou celle qui aime, est plus qu'un devoir ; c'est le secret même de la sainteté.

Comme le rappelait saint François, chacun

de nous est ce qu'il est aux yeux de Dieu — rien de plus, rien de moins. Nous sommes tous appelés à devenir des saints. Il n'y a rien d'extraordinaire à cet appel. Nous avons tous été créés à l'image de Dieu afin d'aimer et d'être aimés.

Jésus désire notre perfection avec une indicible ardeur. « Voici qu'elle est la volonté de Dieu : c'est votre sanctification. » (I *Thessalonicien* 4,3.) Son Sacré-Cœur déborde d'une envie insatiable de nous voir progresser vers la sainteté.

Chaque jour nous devons renouveler notre décision de nous hausser à plus de ferveur, comme s'il s'agissait du premier jour de notre conversion, disant : « Aide-moi, Seigneur mon Dieu, dans mes bonnes résolutions à Ton saint service, et donne-moi la grâce aujourd'hui même de vraiment commencer, car ce que j'ai fait jusque-là n'est rien. » Nous ne pouvons pas être renouvelés si nous n'avons pas l'humilité de reconnaître ce qui, en nous, nécessite de l'être.

N'aie pas peur. La croix, les peines t'adviendront, signe certain que Jésus t'a mené si près de Son cœur qu'Il peut partager Ses souffrances avec toi. Sans Dieu, nous ne pouvons répandre que l'affliction et les tourments autour de nous.

Nous tous désirons tellement ce paradis où Dieu réside, mais il est en notre pouvoir d'être aux cieux, avec Lui, ici et maintenant, de nous réjouir avec Lui à cette même seconde. Être heureux avec Lui, ici et maintenant, implique cependant d'aimer comme Il aime, d'aider comme Il aide, de donner comme Il donne, de servir comme Il sert, de secourir comme Il secourt, de Le côtoyer vingt-quatre heures sur vingt-quatre, d'éprouver Sa présence sous Son accoutrement de déréliction.

Jésus accomplira de grandes choses avec toi si tu Le laisses faire, si tu ne L'en empêches pas. Nous nous immisçons dans le plan de Dieu lorsque nous y projetons quelque chose ou quelqu'un d'inadéquat. Sois strict avec toi-même, en ton for intérieur, mais sois strict aussi avec ce que tu reçois du dehors. Que l'on vienne ou non évoquer auprès de toi de belles idées, de merveilleux projets, rien ne doit te détourner du don concret que tu as fait à Dieu.

Demandons à notre Seigneur d'être à notre côté quand arrive l'heure de la tentation. N'ayons pas peur, car Dieu qui nous aime ne manquera pas de nous aider. Le double respect, de soi et des autres, commande d'ailleurs de traiter tout le monde avec amabilité, mais de s'abstenir du sentimentalisme comme des liens affectifs inconséquents.

Nul désespoir, nul découragement ne sont ici de mise. Ils n'ont aucun sens si nous avons compris la tendresse de l'amour divin. Tu Lui es précieux. Il t'aime, et Il t'aime si tendrement qu'Il te porte gravé sur la paume de Sa main. Lorsque ton cœur se sent agité, lorsque ton cœur se sent blessé, lorsque ton cœur se sent près de rompre, souviens-toi : « Je suis précieux à Ses yeux. Il m'aime. Il m'a appelé par mon nom. Je Lui appartiens. Il m'aime. Dieu m'aime. » Et afin de prouver cet amour, Il est mort sur la croix.

Combien dissemblables sommes-nous de Lui. Combien peu d'amour, combien peu de compassion, combien peu de miséricorde, combien peu de tendresse avons-nous. Nous ne sommes pas dignes d'être si proches de Lui, d'avoir accès à Son cœur. De Ses plaies, lesquelles sont-elles aggravées par nos péchés ? Cessons donc d'avancer dans la solitude, mettons nos mains dans la Sienne. Notre Père nous aime. Il nous a donné un nom. Nous Lui appartenons avec toute notre misère, notre péché, notre faiblesse, notre bonté. Nous sommes Siens. L'accomplissement de notre vie dépend de notre enracinement dans le Christ Jésus, notre Seigneur, en toute liberté.

En Inde, lorsque des hauts fonctionnaires m'ont demandé « Votre intention n'est-elle pas de faire de nous tous des chrétiens ? », je leur ai répondu « naturellement j'aimerais vous communiquer le trésor que je détiens, mais je ne le peux pas. Je peux seulement prier pour qu'à votre tour vous le receviez ».

Une autre fois quelqu'un me demanda : « Pourquoi vous rendez-vous à l'étranger ? N'y a-t-il pas assez de pauvres comme cela en Inde ? » Et ma réponse fut : « Jésus ne nous a-t-il pas dit d'aller et de prêcher au sein de toutes les nations ? » C'est pour cela que nous devons parcourir la planète, pour annoncer Son amour et Sa compassion. Une autre fois encore, après avoir vu avec quel soin une Sœur entourait un malade jugé perdu par ses collègues, un médecin indien me confessa : « Je suis venu ici sans Dieu. J'en repars avec Dieu. »

L'œuvre du réarmement moral se propage avec discrétion et amour. Et il sera d'autant plus reçu qu'il sera discret. De proche en proche, l'un le transmettra, l'autre l'assimilera.

Nous devons instruire par la puissance de l'exemple de nos existences, entièrement vécues en Jésus-Christ notre Seigneur et avec Lui, nous devons attester la vérité de l'Évangile, par notre totale dévotion et notre brûlant amour pour le Christ et Son Église — et, aussi, en proclamant la parole de Dieu sans crainte, ouvertement, clairement, selon ce que l'Église enseigne et chaque fois que nous le pouvons.

Nous devons soutenir ceux qui traversent la tentation par notre prière, notre pénitence, notre compréhension et, quand cela est possible, les soutenir par des paroles aptes à illuminer et à encourager. Nous devons nous lier avec ceux qui sont seuls, réconforter les malades et les désespérés par notre amour et notre souci personnel d'eux, en nous identifiant à eux dans leur peine et leur angoisse, en demandant avec eux la guérison et la consolation d'en-Haut, en les encourageant à offrir leur souffrance au Seigneur pour le salut du monde.

Nous devons supporter avec patience les injustices sans opposer de résistance aux êtres malfaisants. Si l'on nous frappe sur la joue droite, tendons la gauche ; si l'on nous soutire quelque chose, n'essayons pas de le reprendre. Pardonnons les offenses, renversons l'esprit de vengeance en rendant un bien pour un mal, aimons nos ennemis en priant pour ceux qui nous persécutent et bénissons ceux qui nous maudissent.

ℭℴ

Telle est la voie de l'amour confiant :

... s'en remettre de manière absolue, incondi-tionnelle et inaltérable en Dieu notre Père, même lorsque tout semble voué à l'échec,

... ne concevoir que Lui comme notre rem-part et secours,

... refuser le doute et le découragement, abandonner toutes nos angoisses et nos soucis au Seigneur, et continuer à avancer dans une parfaite liberté,

... oser être sans aucune crainte de l'obstacle, sachant que rien n'est impossible à Dieu,

... compter en tout sur notre Père céleste dans un mouvement spontané d'abandon, tel celui des enfants, restant convaincus de notre radical néant, mais cependant assurés, avec hardiesse s'il le faut, de Sa bonté paternelle.

Rendons grâce à Dieu pour tout l'amour qu'Il a pour nous, et qu'Il manifeste d'une mul-titude de façons en de si multiples lieux. Et nous-mêmes, en retour, en geste de reconnais-sance et d'adoration, choisissons d'être saints car Lui-même est saint.

« *Dès que j'ai su que Dieu existait, j'ai su que je ne pourrais pas faire autrement que de vivre pour Lui seul...*
La foi démasque le monde et révèle Dieu en chaque chose. Elle fait que rien n'est impossible et rend sans signification des mots comme l'anxiété, le danger et la peur, de telle sorte que le croyant traverse la vie, calme et en paix, animé d'une joie profonde — comme un enfant, main dans la main avec sa mère. »

Charles de Foucauld

« *Vous croyez à présent ?*
Voici venir l'heure — et elle est venue — où vous serez dispersés chacun de votre côté... Mais je ne suis pas seul : le Père est avec moi. Je vous ai dit ces choses, pour que vous ayez la paix en moi. Dans le monde vous aurez à souffrir. Mais, gardez courage ! J'ai vaincu le monde. »

Jésus, *Jean* 31, 33.

Du Travail et du fait de Servir

« *Je pense que si Dieu trouve une personne encore plus inutile que moi, Il fera à travers elle de plus grandes choses encore car cette œuvre est la Sienne.* »

Mère Teresa

« *Ma grâce te suffit : car la puissance se déploie dans la faiblesse.* »

Jésus à Paul, *II Corinthiens* 12, 9.

Il se peut que je sois incapable de garder mon attention pleinement fixée sur Dieu, alors que je travaille — ce que Dieu, de toutes les façons, ne me demande pas. Toutefois, je peux pleinement désirer et projeter d'accomplir mon travail avec Jésus, et pour Jésus. C'est là une belle chose et c'est ce que Dieu veut. Il veut que notre volonté et notre désir se rapportent à Lui, à notre famille, à nos enfants, à nos frères, et aux pauvres.

Chacun de nous reste un modeste instrument. Si tu observes les composants d'un appareil électrique, tu y verras un enchevêtrement de fils grands et petits, neufs et vieux, chers et pas chers. Si le courant ne passe pas à travers eux, il ne peut y avoir de lumière. Ces fils, ce sont toi et moi. Le courant est Dieu.

Nous avons le pouvoir de laisser passer le courant à travers nous, de le laisser nous utiliser, de le laisser produire la lumière du monde. Ou de refuser d'être utilisés et de laisser les ténèbres s'étendre.

Il se peut que dans l'appartement ou la maison à côté de la tienne vive un aveugle qui se réjouirait de ta visite pour lui lire le journal. Il se peut qu'il y ait une famille qui soit dans le besoin de quelque chose dépourvu d'importance à tes yeux, quelque chose d'aussi simple que le fait de faire garder leur enfant pour une demi-heure. Il est tant de petites choses qui sont si petites qu'une multitude de gens les oublie.

Ne pense pas qu'il faille être un benêt pour s'occuper de la cuisine. Ne pense pas que s'asseoir, se lever, aller et venir, que tout ce que tu fais n'est pas important aux yeux de Dieu.

Dieu ne te demandera pas combien de livres tu as lus; combien de miracles tu as accomplis. Il te demandera si tu as fait de ton mieux, pour l'amour de Lui. Peux-tu en toute sincérité dire : « J'ai fait de mon mieux » ? Même si le mieux doit se révéler un échec, il doit être notre mieux, notre extrême plus. Si tu es réellement amoureux du Christ, aussi modeste que soit ton travail, il en sera mieux accompli, de tout cœur. Ton travail attestera ton amour.

Tu peux t'épuiser au travail, tu peux même t'y tuer, mais tant qu'il n'est pas mêlé d'amour, il est inutile. Travailler sans amour est un esclavage.

ℐ∽

Si quelqu'un ressent que Dieu lui demande de s'engager dans la réforme de la société, c'est là une question entre lui et le Dieu qui est sien. Nous avons tous le devoir de servir Dieu là où nous nous sentons appelés. Je me sens pour ma part appelée au service des individus, à aimer chaque être humain. Jamais je ne pense en terme de masse, de groupe, mais toujours selon les personnes. Devrais-je penser aux foules, je n'entamerais jamais rien. C'est la personne qui compte. Je crois aux rencontres face à face.

La plénitude de notre cœur transparaît dans nos actes : comment je me comporte avec ce lépreux, comment je me comporte avec cet agonisant, comment je me comporte avec ce SDF. Parfois, il est plus difficile de travailler avec les clochards qu'avec les mourants de nos hospices, car ces derniers sont apaisés, dans l'expectative, prêts à partir vers Dieu.

L'on peut s'approcher du malade, du lépreux, et être convaincu que l'on touche au corps du Christ. Mais lorsqu'il s'agit d'un ivrogne qui braille, il est plus difficile de penser que l'on est face à Jésus dissimulé. Combien pures, aimantes doivent être nos mains pour manifester de la compassion à ces êtres-là.

Voir Jésus dans la personne la plus spirituellement démunie requiert un cœur pur. Plus défigurée sera l'image de Dieu dans une personne, plus grandes devront être la foi et la vénération dans notre quête du visage de Jésus et dans notre ministère d'amour auprès de Lui. Nous considérons comme un honneur le fait de servir le Christ caché sous les oripeaux des plus spirituellement démunis ; faisons-le avec un sentiment de profonde reconnaissance et de piété, animés d'un esprit de partage.

À la mesure du caractère répugnant de la tâche doivent être l'amour et la joie à servir. S'il ne m'était pas arrivé d'avoir à recueillir une femme attaquée par les rats — mordue au visage, aux jambes et le reste —, je n'aurais pu devenir une Missionnaire de la Charité. La répulsion est un sentiment humain. Si nous nous abandonnons à servir, de tout notre cœur, librement, nous deviendrons des saints, malgré de tels sentiments. Saint François d'Assise éprouva d'abord un haut-le-cœur à la vue des lépreux, puis il dépassa son aversion.

Quoi que tu fasses, y compris aider quelqu'un à traverser la route, c'est à Jésus que tu le fais. Tu donnes un verre d'eau, et c'est à

Jésus que tu l'as donné — petit précepte de rien du tout, et pourtant crucial, toujours plus illuminateur.

Nous ne devons pas craindre l'amour du Christ, d'aimer comme Il a aimé. Notre travail — qu'importe qu'il soit modeste, humble —, faisons-en l'amour du Christ en action.

Aussi beau que puisse être ton travail, sois-en détaché, toujours prêt à y renoncer. Ce que tu fais n'est pas tien. Les talents que Dieu t'a donnés ne sont pas les tiens; ils t'ont été donnés afin que tu t'en serves pour la gloire de Dieu. Sois munificent et instrumentalise tout ce qui est en toi pour complaire au bon Maître.

Qu'avons-nous à apprendre? À être doux et humble; si nous le devenons, nous apprendrons à prier; et l'apprenant, nous appartiendrons à Jésus; et Lui appartenant, nous apprendrons à croire; et croyant, nous apprendrons à aimer; et aimant, nous apprendrons à servir.

Vaque à la prière. En priant tu acquerras la foi, et ayant la foi, tu voudras spontanément servir. Celui qui prie ne peut qu'avoir la foi et lorsque tu possèdes la foi, tu désires immanquablement qu'elle soit agissante. La foi en acte s'appelle servir.

Se mettre au service de l'autre est le fruit de l'amour. L'amour nous conduit à dire : « Je

83

veux servir. » Et le fruit du service accompli est la paix. Nous tous devrions travailler à la paix.

⁖

L'on me demanda, il y a quelques jours, si j'avais un conseil à donner aux hommes politiques. Je n'aime guère me mêler de ces questions mais ma réponse a jailli, immédiate : « Ils devraient passer leur temps à genoux. Je pense que cela les aiderait à mieux gouverner. »

Évertue-toi à être une manifestation de Dieu au sein de ta communauté de vie. Souvent, nous pouvons voir comment la joie revient habiter les plus démunis, quand ils perçoivent que nous sommes nombreux à nous soucier d'eux et à leur montrer de l'amour. Et lorsqu'ils sont malades, même leur santé, alors, s'améliore.

Que nous ne puissions jamais oublier que, à servir les pauvres, il nous est donné une formidable occasion d'accomplir quelque chose d'agréable à Dieu ! En fait, quand nous nous donnons de tout notre cœur aux pauvres, c'est le Christ que nous servons dans leur visage défiguré. Lui-même l'a dit : « C'est à moi que vous l'avez fait. »

« *Ne manque aucune opportunité de faire un quelconque petit sacrifice, ici par un sourire, là par un mot de gentillesse; accomplissant avec soin la moindre des choses et faisant tout par amour.* »

Sainte Thérèse de Lisieux

« *En vérité Je vous le dis, dans la mesure où vous l'avez fait à l'un de ces plus petits de mes frères, c'est à Moi que vous l'avez fait.* »

Jésus, *Matthieu* 25, 40.

De la personne de Jésus

« Jésus est la vérité à partager. »

Mère Teresa

« En vérité, en vérité, je vous le dis, celui qui croit en moi fera, lui aussi, les œuvres que je fais ; et il en fera même de plus grandes...
Et tout ce que vous demanderez en mon nom, je le ferai... »

Jésus, *Jean* 14, 12-14.

Il était une fois un petit rouge-gorge. Voyant Jésus sur la croix, voyant la couronne d'épines, il se mit à virevolter, allant et venant en vrille, pour arracher ne serait-ce qu'une de ces épines. Mais lorsqu'il s'en empara, ce fut pour en être lui-même transpercé.

Chacun d'entre nous devrait être cet oiseau. Qu'ai-je fait? Quelle consolation ai-je apportée? Mon travail a-t-il un sens? Le rouge-gorge voulait seulement enlever une épine. Quand je regarde la croix, je pense à ce rouge-gorge. N'ignore pas la croix; elle est un lieu de grâce. Souvent nous regardons sans voir. Suis-je capable de voir le pauvre, le malheureux? Chacun de nous doit porter sa propre croix et accompagner Jésus dans Son ascension du Calvaire, s'il veut atteindre le sommet en Sa compagnie. Le sacrifice pour être authentique doit nous vider de nous-mêmes. Jésus a choisi chacun de nous pour être Son amour et Sa lumière dans le monde.

N'oublie pas, Il nous a choisis; ce n'est pas nous qui L'avons d'abord choisi. Nous avons à répondre en faisant quelque chose de beau pour Dieu — quelque chose d'extraordinairement beau. Pour cela il nous faut tout donner de nous, le plus de notre plus. Nous devons nous accrocher à Jésus, L'agripper, L'empoigner, et ne jamais plus, à aucun moment, Le lâcher. Nous devons tomber amoureux de Jésus.

Par le vœu de chasteté, non seulement je renonce à l'état du mariage, mais je voue aussi à Dieu le libre usage de tous mes actes intérieurs et extérieurs, le libre usage de tous mes attachements. En conscience, je ne peux plus aimer un autre de l'amour qu'une femme peut porter à un homme. Je n'ai plus le droit d'offrir une telle affection à une autre créature, qu'à Dieu seul.

Alors, quoi ? Serions-nous des pierres, des êtres humains dépourvus de cœur ? Pourrions-nous dire simplement : « Peu m'importe. Toutes les personnes pour moi sont les mêmes » ? Non et non, absolument pas. Nous devons demeurer tels que nous sommes, et garder tout cela dans le secret de Dieu à qui nous avons consacré notre vie entière, aussi bien publique qu'intérieure.

La chasteté ne signifie pas simplement que je suis célibataire. Elle signifie que j'aime le Christ d'un amour sans partage. Elle est quelque chose de plus profond, de vivant, de réel. C'est L'aimer

Lui d'une parfaite et tendre intégrité dans la liberté de la pauvreté.

La parole de Jésus, « Aimez-vous les uns les autres comme Je vous ai aimés » (*Jean*, 15-12), doit être une lumière qui nous éclaire, une flamme qui consume l'ego en nous. L'amour, pour survivre, doit être nourri de sacrifices, et, en premier lieu, celui du Moi. Renoncer veut dire que j'offre ma volonté propre, ma raison, ma vie, dans une attitude de foi. Mon âme peut être plongée dans l'obscurité ; l'épreuve constitue le plus sûr examen de mon renoncement aveugle. Renoncer veut aussi dire aimer. À toujours plus renoncer, nous aimons toujours plus Dieu et l'homme.

Suis-je certaine de l'amour du Christ pour moi, et du mien pour Lui ? Cette certitude est comme un rayon de soleil qui fait monter la sève de la vie, fleurir les bourgeons de la sainteté. Cette certitude est la pierre sur laquelle est bâtie la sainteté. Que nous faut-il faire pour l'acquérir ? Il nous faut connaître Jésus, aimer Jésus, servir Jésus. Nous Le connaissons par la prière, la méditation, le labeur spirituel. Nous L'aimons par l'Eucharistie, les sacrements et l'union intime. Évertuons-nous à vivre seul avec

Lui dans ce sanctuaire qu'est le tréfonds de notre cœur.

Lors de Sa passion, notre Seigneur a dit : « Que ta volonté soit faite. Fais de moi ce que tu veux. » Et c'était là chose terrible pour notre Seigneur, même en cet ultime instant. Les commentaires indiquent cependant qu'à Gethsémani il connut une encore plus grande passion qu'au Golgotha. Car Son cœur, Son âme y furent crucifiés alors que sur la croix fut cloué Son corps. Combien cette heure Lui fut difficile, nous le savons parce que Lui-même demanda : « Ne veillerez-vous donc pas une heure avec moi ? » Nous savons qu'Il attendait quelque consolation. C'est cela l'abandon sans retour — n'être pas aimé de qui que ce soit, n'être pas accepté par qui que ce soit, n'être personne parce que justement l'on a tout donné au Christ.

Quand Jésus vint en ce monde, Il l'aima si fortement qu'Il donna Sa vie pour lui. Il vint pour satisfaire notre faim de Dieu. Et comment le fit-il ? Il se changea lui même en Pain de la Vie. Il se fit petit, fragile, désarmé pour nous. Les miettes de pain sont si minuscules que même un bébé peut les mâcher, que même un agonisant peut les manger. Il se changea en Pain de la Vie pour apaiser notre appétit de Dieu, notre faim d'Amour.

Je ne crois pas que nous aurions jamais pu aimer Dieu si Jésus n'était pas devenu l'un d'entre nous. Et, c'est afin de nous rendre capables d'aimer Dieu, qu'Il est devenu l'un d'entre nous en toute chose, sauf le péché. Créés à l'image de Dieu, nous avons été créés pour aimer, car Dieu est amour. Par sa passion, Jésus nous a enseigné comment pardonner par amour, comment oublier par humilité. Trouve Jésus et tu trouveras la paix.

Ne permets à rien de s'immiscer dans ton amour pour Jésus. Tu Lui appartiens. Rien ne peut te séparer de Lui. C'est là un précepte important qu'il te faut garder en mémoire. Il sera ta joie, ta force. Si tu gardes ce précepte, les tentations et les épreuves viendront, mais rien ne te brisera. Ne l'oublie pas, tu as été créé pour accomplir des merveilles.

N'aie pas peur de dire « Oui » à Jésus car il n'y a pas de plus grand amour que Son amour, et de plus grande joie que Sa joie. Ma prière te concernant est que tu en viennes à Le comprendre, que tu aies le courage de répondre à l'appel de Jésus par ce simple mot : « Oui. » Pourquoi t'a-t-Il choisi ? Et pourquoi m'a-t-Il choisie ? C'est là un mystère.

Le Christ a dit : « J'étais affamé et vous m'avez nourri. » Il fut affamé non seulement de pain mais aussi de l'affection bienveillante qui fait que l'on se sent aimé, reconnu, que l'on se sent être quelqu'un aux yeux de quelqu'un d'autre. Il fut dénudé non seulement de tout vêtement, mais aussi de toute dignité et considération puisque la plus grande injustice à commettre envers le pauvre est de le mépriser parce qu'il est pauvre. Il fut spolié non seulement d'un toit et d'un âtre mais aussi de toutes les spoliations qu'endurent ceux qui sont enfermés, rejetés, ou bannis, errant de par le monde sans qu'il n'y ait personne pour se soucier d'eux.

Descends dans la rue, sans plus de propos que cela. Vois cet homme, là, au coin, et va vers lui. Peut-être s'en irritera-t-il, mais tu seras là, en face de lui. En présence. Tu dois manifester la présence qui est en toi par l'amour et l'attention avec lesquels tu t'adresses à cet homme. Pourquoi ? Parce que, pour toi, c'est de Jésus qu'il s'agit. Jésus, oui, mais qui est dans l'impossibilité de te recevoir — raison pour laquelle tu dois savoir aller vers Lui. Jésus, oui, mais qui survient sous le déguisement de la personne qui est là. Jésus, dans le plus petit de nos frères, n'est pas seulement affamé d'un morceau de pain, mais aussi d'amour, de reconnaissance, du fait d'être pris en compte.

De quoi est faite ma vie spirituelle ? D'une union d'amour avec Jésus, en laquelle le divin et l'humain se donnent l'un à l'autre sans retour. Tout ce que Jésus me demande est de me donner à Lui dans toute ma pauvreté, mon néant.

Jésus dit : « Laisse-Moi t'apprendre. » Au cours de nos méditations, nous devrions sans cesse répéter : « Jésus, fais de moi un saint, à l'image de Ton propre cœur doux et humble. » Il nous faut répondre selon l'esprit dans lequel Jésus nous réclame de répondre. La méditation, l'étude de l'Évangile nous Le font mieux connaître. Mais comprenons-nous vraiment qui Il est en Son humilité ?

L'une des choses que Jésus me demande est de m'appuyer sur Lui ; de mettre en Lui toute ma confiance, et seulement en Lui ; de m'abandonner à Lui sans réserve. Même quand tout va mal, et que je me sens telle une embarcation à la dérive, je dois me donner totalement à Lui. Vouloir maîtriser un tant soit peu le plan de Dieu, compter les étapes du voyage qu'Il m'a préparé, juger du chemin parcouru, savoir où j'en suis sur la voie de la sainteté : je me dois de refuser tout cela. Autant je Lui demande de faire de moi un saint, je dois Lui en laisser le choix de la forme et plus encore des moyens.

Affamé d'amour, Il te regarde.
Assoiffé de tendresse, Il te supplie.

Dépouillé de fidélité, Il espère en toi.

Malade et interdit d'amitié, Il te réclame.

Sans toit, mais désireux de l'abri de ton cœur,
Il te veut.

Seras-tu celui-là pour Lui ?

Simplicité de notre vie contemplative : elle nous fait voir le visage de Dieu en chaque chose, en chaque être, partout et toujours ! Et Sa main, présente en chaque événement nous fait tout accomplir — la méditation et l'étude, le travail et l'échange, le manger et le dormir — en Jésus, avec Jésus, pour Jésus et à l'égard de Jésus sous le regard aimant du Père, alors que nous restons toujours disposés à Le recevoir sous quelque forme qu'il revête.

Je suis subjuguée par le fait que, avant de commenter la Parole de Dieu, avant d'annoncer aux foules les Béatitudes, Jésus, prenant celles-ci en compassion, les a nourries. Et après seulement, il a commencé à leur livrer Son enseignement.

Aime Jésus généreusement, aime-Le avec confiance, sans regarder derrière toi, et sans appréhension. Donne-toi entièrement à Jésus. Il te prendra comme instrument pour accomplir des merveilles à la condition que tu sois infiniment plus conscient de Son amour que de ta faiblesse. Crois en Lui, remets-toi entre Ses mains dans un élan de confiance aveugle et absolue, car il est Jésus. Crois que Jésus, et Jésus seul, est la vie ; sache que la sainteté n'est rien d'autre que ce même Jésus vivant intimement en toi ; alors Il sera libre du geste de Sa main sur toi.

Qui est Jésus pour moi ?
Jésus est le Verbe fait chair.
Jésus est le Pain de Vie.
Jésus est la Victime offerte pour nos péchés sur la croix.
Jésus est le sacrifice offert lors de l'Eucharistie pour les péchés du monde et pour mes péchés.
Jésus est la Parole à proclamer.
Jésus est la vérité à dire.
Jésus est la voie à emprunter.
Jésus est la lumière à allumer.
Jésus est la vie à vivre.
Jésus est l'amour à aimer.
Jésus est la joie à partager.
Jésus est la paix à apporter.
Jésus est l'affamé à nourrir.
Jésus est l'assoiffé à désaltérer.
Jésus est le dénudé à vêtir.
Jésus est le vagabond à accueillir.
Jésus est le malade à soigner.
Jésus est l'esseulé à entourer.
Jésus est le proscrit à accepter.

Jésus est le lépreux afin qu'on lave Ses plaies.

Jésus est le clochard afin qu'on Lui offre un sourire.

Jésus est l'ivrogne afin qu'on L'écoute.

Jésus est le fou afin qu'on Le protège.

Jésus est le tout petit afin qu'on L'embrasse.

Jésus est l'aveugle afin qu'on Le guide.

Jésus est le muet afin que l'on parle pour Lui.

Jésus est l'invalide afin qu'on Le promène.

Jésus est le drogué afin qu'on Lui vienne en aide.

Jésus est la prostituée afin qu'on Le secoure.

Jésus est le prisonnier à visiter.

Jésus est le vieillard à servir.

Pour moi : Jésus est mon Dieu.

Jésus est mon époux.

Jésus est ma vie.

Jésus est mon seul amour.

Jésus est mon tout en tout.

Jésus est mon tout.

JÉSUS, je l'aime de tout mon cœur, de tout mon être. Je Lui ai tout donné, même mes péchés et il m'a épousée, unie à Lui en toute tendresse et tout amour.

« *Je ne m'appartiens plus. Que je vive où que je meure, j'appartiens à mon Sauveur. Je n'ai rien qui soit à moi; Dieu est mon tout et tout mon être est à Lui.*
Je ne me préoccupe pas d'un amour qui serait pour Dieu ou en Dieu. Je ne peux supporter les mots « pour » ou « en », car ils indiquent qu'il pourrait y avoir quelque chose entre Dieu et moi. »

Sainte Catherine de Gênes

« *Comme le Père m'a aimé, moi aussi je vous ai aimés. Demeurez en mon amour. Si vous gardez mes commandements, vous demeurerez en mon amour, comme moi j'ai gardé les commandements de mon Père et je demeure en Son amour. Je vous dis cela pour que ma joie soit en vous et que votre joie soit complète.* »

Jésus, *Jean* 31, 33.

De la Pauvreté et du Pauvre

« *Dieu n'a pas créé la pauvreté; c'est nous qui l'avons créée. Face à Dieu, nous sommes tous pauvres.* »

Mère Teresa

« *Heureux ceux qui ont une âme de pauvre, car le Royaume des Cieux est à eux.* »

Jésus, *Matthieu* 5, 3.

Le pauvre n'a pas faim seulement de pain, il est aussi terriblement avide de dignité. L'amour, le fait d'exister aux yeux d'un autre, nous est d'une absolue nécessité. C'est là que nous commettons la plus grande erreur, lorsque nous repoussons les gens sur le bas-côté. Il ne suffit pas que nous refusions aux pauvres un morceau de pain mais, en les considérant comme rien, en les abandonnant à la rue, nous leur refusons, de plus, cette dignité qui est la leur, de plein droit, en tant qu'enfants de Dieu.

Le monde, aujourd'hui, est affamé non seulement de pain, mais d'amour; il a faim d'être reconnu, d'être aimé. Les gens ont faim de sentir la présence du Christ. Dans tant de pays, l'on dispose de tout en abondance, sauf de cette présence, de cette bienveillance.

Partout, il y a des pauvres. Il est des continents entiers où la pauvreté est plus spirituelle que matérielle, une pauvreté faite de solitude, d'abattement, d'une absence de sens. Mais j'ai vu aussi, en Europe ou en Amérique, des êtres dans le plus grand dénuement dormir sur des cartons, des chiffons, dans les rues. Paris, Londres ou Rome connaissent cette forme de pauvreté. Il est si simple de parler ou de se préoccuper des pauvres qui sont au loin. Il est plus difficile, et peut-être moins raisonnable, de prêter attention et de se soucier du pauvre qui vit à deux pas de chez nous.

Le riz, le pain, que je donne à l'affamé ramassé dans la rue, apaiseront sa faim. Mais celui qui vit dans l'horreur d'avoir été banni par la société, combien difficile il sera de combler son manque.

Vous autres, en Occident, bien plus que l'indigence matérielle, vous connaissez la pauvreté spirituelle, et c'est pour cela que vos pauvres sont parmi les plus pauvres. Les riches, d'ailleurs, ne comptent-ils pas souvent dans leur rang des personnes spirituellement indigentes? Je pense qu'il est facile de nourrir un affamé ou de fournir un lit à un sans-abri, mais consoler, effacer l'amertume, la colère et l'isolement qui viennent de l'aliénation spirituelle, cela demande une infinie patience.

∽

De tous les coins du monde, des jeunes gens viennent en Inde endosser une vie d'extrême pauvreté, plus pauvre que la nôtre. Ils sont guidés par le désir de se libérer de l'abondance de leur milieu d'origine. Ils se veulent, je crois, des exemples vivants de la pauvreté du Christ. Connaître l'esprit de pauvreté ne suffit pas, tu dois goûter à la pauvreté elle-même. Et être pauvre signifie ne rien posséder. Aujourd'hui, ils sont nombreux ceux qui, même nés dans l'aisance, désirent savoir ce que signifie n'avoir vraiment rien.

Les richesses, qu'elles soient matérielles ou spirituelles, peuvent t'asphyxier si tu n'en as pas un juste usage. Car Dieu lui-même ne peut rien placer dans un cœur déjà plein à craquer. Un jour ou l'autre, inévitablement, il en ressort un appétit d'argent et une avidité de tout ce que celui-ci peut procurer — la recherche du superflu, du luxe pour se nourrir, se vêtir ou s'amuser. Les besoins vont alors croissant, une chose appelant l'autre. Et au terme, nécessairement, se trouve un sentiment incontrôlable d'insatisfaction. Demeurons aussi vide que possible afin que Dieu puisse nous emplir.

Notre Seigneur en est un vivant exemple : dès le premier jour de Son existence humaine, il connut une pauvreté dont aucun être humain ne fera jamais l'expérience car « étant riche, Il se rendit lui-même pauvre ». Le Christ se vida Lui-même de toute sa richesse. C'est là que surgit la contradiction : si je veux être pauvre comme le Christ qui devint pauvre alors qu'Il était riche, que dois-je faire ? Ce serait une honte pour nous d'être plus riches que Jésus qui pour notre salut endura la pauvreté.

Sur la croix, le Christ fut privé de tout. La croix elle-même Lui avait été donnée par Pilate. Les clous et la couronne, par les soldats. Il était nu. Quand Il mourut, on L'ôta de la croix, on Lui retira les clous et la couronne. Il fut enveloppé dans un morceau de toile, donné par une âme charitable, et Il fut enterré dans un tombeau qui ne Lui appartenait pas. Et cela, alors que Jésus aurait pu mourir comme un roi ou même S'épargner la mort. Mais ce fut la pauvreté qu'Il choisit car Il la savait être le vrai moyen de gagner Dieu et d'apporter Son amour sur la terre.

La pauvreté est liberté. Elle est une liberté parce que ce que j'ai ne me possède pas, ce que j'ai ne m'enchaîne pas, ce que j'ai ne m'empêche pas de partager, ce que j'ai ne m'empêche pas de me donner.

Il y a quelques semaines de cela, je suis tombée nez à nez sur une enfant dans la rue. Je pouvais lire sa faim sur son visage, mais je ne pouvais deviner depuis combien de jours elle n'avait pas mangé. Je lui donnai alors un morceau de pain qu'elle commença à grignoter en en détachant miette après miette. « Mange ! Allez, mange ! Tu as faim », lui dis-je. Et la petite, levant ses yeux sur moi, me répondit : « J'ai peur. Quand le pain sera fini, j'aurai encore faim. »

Pour ce qui nous concerne, nous autres Missionnaires de la Charité, une pauvreté rigoureuse doit être notre sauvegarde. Nous ne voulons pas, comme cela a été le cas pour d'autres ordres religieux à travers l'histoire, commencer par servir les pauvres et finir insensiblement par servir les riches. Pour comprendre, aider ceux qui n'ont rien, nous devons vivre comme ils vivent. La seule différence qui puisse exister entre nous, c'est qu'eux sont pauvres par fatalité alors que nous le sommes par choix.

Nous ne considérons pas avoir le droit de juger le riche. Nous ne désirons pas une lutte entre les classes mais une rencontre entre les classes, rencontre dans laquelle le riche sauve le pauvre, et le pauvre sauve le riche.

Face à Dieu, notre pauvreté est notre humble

manière d'admettre et d'accepter notre état de péché, d'impuissance et d'extrême néant ; notre manière de reconnaître notre état de dénuement, mais qui s'exprime comme une espérance en Lui, comme une attente à recevoir toute chose de Lui en tant que notre Père. Notre pauvreté devrait être une authentique pauvreté évangélique — aimable, tendre, heureuse, vécue d'un cœur ouvert, toujours prête à donner un signe d'amour. La pauvreté est amour avant d'être renoncement. Pour aimer, il est nécessaire de donner. Pour donner, il est nécessaire d'être libre de tout égoïsme.

La pauvreté est nécessaire parce que nous travaillons avec les pauvres. Qu'ils se plaignent de la nourriture, et nous mangeons la même ; qu'ils disent « il faisait si chaud hier soir qu'il était difficile de dormir », et nous répondons « nous aussi, nous avons mal dormi à cause de la chaleur ». Les pauvres font leur lessive eux-mêmes, ils vont pieds nus, et nous de même. Nous devons nous abaisser et les élever. Le fait de vivre comme eux déverrouille le cœur des pauvres. Il leur arrive d'avoir un seul seau d'eau. Il en va pareillement pour nous. Les pauvres doivent faire la queue ; nous la faisons aussi. La nourriture, l'habit, tout doit aller pour nous comme il en va pour le pauvre. Nous n'avons pas une pratique particulière du jeûne. Notre jeûne, c'est de manger ce qui se trouve.

Nos vies, pour être fécondes, doivent être pleines du Christ; pour apporter Sa paix, Sa joie et Son amour, nous devons les posséder en nous-mêmes, car l'on ne peut donner ce que l'on n'a pas — tel un aveugle conduisant un autre aveugle. Les pauvres dans les bidonvilles sont sans Jésus et nous avons le privilège d'entrer sous leur toit. Peu importe ce qu'ils pensent de nous, l'important est ce que nous sommes pour eux. Se rendre dans les bidonvilles, simplement pour y être allé, ne suffira pas pour les mener à Jésus. À être soucieux de nous-mêmes, de nos propres affaires, nous serons incapables de vivre l'idéal.

Nous pratiquons la vertu de pauvreté lorsque nous raccommodons nos habits aussi vite et aussi joliment que possible. Un vêtement rapiécé n'est pas une honte. On rapporte au sujet de saint François d'Assise que, lorsqu'il mourut, sa soutane n'était plus qu'un assemblage de pièces, ne laissant plus rien voir de la toile d'origine.

Les Évangiles nous rappellent que Jésus, avant de leur livrer Son enseignement, était pris de compassion pour les multitudes qui Le suivaient au point d'omettre parfois de se nourrir. Comment mit-Il sa compassion en pratique ? Il multiplia les pains et les poissons pour apaiser leur faim. Il leur donna à manger jusqu'à ce que, n'en pouvant plus, elles fussent rassasiées, laissant douze couffins de surplus. Puis Il commença à les instruire. Seulement alors, Il leur annonça la Bonne Nouvelle. C'est ainsi que, le plus souvent, nous devons procéder dans notre œuvre : satisfaire d'abord les besoins du corps des pauvres avant de leur communiquer le Christ.

Jésus me donne l'occasion de Le nourrir en nourrissant les affamés, de Le vêtir en vêtant ceux qui sont nus, de Le guérir en prenant soin des malades, et de Lui offrir un toit en accueillant ceux qui n'en ont plus.

Je me souviens de cette femme, rencontrée dans la rue, et qui semblait mourir de faim. Je lui offris un plat de riz. Longtemps, elle ne fit que le contempler. Comme je m'efforçais de la persuader de manger, elle déclara : « Je ne peux croire que c'est du riz. Je n'ai pas mangé depuis si longtemps. » Elle ne condamnait personne. Elle ne se plaignait pas des riches. Elle n'avait aucune parole amère. Tout simplement, elle ne pouvait croire que c'était du riz.

∽

Ce que la pauvreté signifie? Tout d'abord avoir faim de pain, être dans le besoin d'un vêtement, ne pas avoir de maison. Mais par-delà? Il est encore une plus grande forme de pauvreté, celle d'être rejeté, négligé, de n'avoir personne que tu peux qualifier de tien.

Connaissons-nous nos pauvres? Savons-nous qui est le pauvre dans notre maison, dans notre famille? Il se peut qu'il, ou elle, ne soit pas en quête d'un morceau de pain. Il se peut que l'un de nos enfants, notre époux, notre épouse, ne soient pas affamés, transis, spoliés; mais es-tu sûr qu'aucun d'entre eux ne se sent pas rejeté, privé d'affection? Où sont ton père et ta mère si âgés? Être abandonné est une vraie misère, une terrible pauvreté.

Il y a tant de gens, solitaires, autour de toi dans les hôpitaux et dans les maisons de repos. Il y a tant de gens à la rue! À New York, nos Sœurs œuvrent parmi les démunis qui ago-nisent. Quelle douleur il y a à voir ces êtres! Ils ne sont plus connus que par le nom de la rue qu'ils hantent. Pourtant, ils ont tous été un jour le fils ou la fille de quelqu'un. Au moins une fois, quelqu'un les a aimés. Eux-mêmes en ont aimé d'autres durant leur vie. Mais, aujourd'hui, on ne les connaît plus que par le nom de la rue qu'ils hantent.

Sache que les plus pauvres d'entre les pauvres sont parmi tes voisins, dans ton quartier, dans ta ville, dans ta province, et peut-être dans ta propre famille. Apprendre à les connaître te conduira à les aimer. Et les aimer te forcera à les servir. Alors, seulement, tu commenceras à vivre comme Jésus et à vivre de l'Évangile. Mets-toi au service des pauvres. Ouvre ton cœur au fait de les aimer. Sois un témoin vivant de la miséricorde de Dieu.

Les pauvres n'ont pas besoin de notre compassion ou de notre pitié ; ils ont besoin de notre aide. Ce qu'ils nous donnent dépasse ce que nous leur donnons.

Les pauvres sont des gens extraordinaires. Ils ont leur propre dignité que l'on ne peut pas ignorer. Comme il arrive que les pauvres sont des inconnus, l'on est peu à même de remarquer leur dignité. Mais les pauvres, par-dessus tout, ont l'immense courage de mener la vie qu'ils mènent. Ils ont été condamnés à vivre ainsi ; la pauvreté leur a été imposée. Nous, nous pouvons choisir la pauvreté ; eux sont obligés de l'accepter.

∽

Les pauvres sont notre prière. Ils portent Dieu en eux. Dieu créa le monde et vit que cela était bon. Dieu créa l'homme et vit que cela était bon. Dieu créa toute chose et Il vit que chaque chose était bonne. Comment pouvons-nous nous plaindre de ce que la pauvreté et la souffrance existent dans le monde en le reprochant à Dieu ? Pouvons-nous le faire en toute honnêteté ? Dieu vit que toutes choses étaient bonnes. Ce que nous faisons de chaque chose est une autre question.

Afin de nous aider à mériter le Ciel, le Christ a mis une condition : à l'heure de notre mort, toi et moi, qui que nous ayons été et où que nous ayons vécu, les chrétiens comme les non-chrétiens, tout être humain, créé par la main aimante de Dieu, à son image, nous devrons nous tenir en sa présence et nous serons jugés selon ce que nous avons été pour les pauvres, selon ce que nous avons fait pour eux. C'est là un incomparable critère. Il nous faut sans cesse devenir plus conscients que les pauvres représentent l'espoir de l'humanité, car nous serons jugés sur la manière dont nous les aurons traités. Telle est la réalité que nous rencontrerons lorsque nous nous présenterons devant le trône de Dieu : « J'avais faim. J'étais nu. J'avais besoin d'un toit. Et ce que vous avez fait au plus petit de mes frères, c'est à moi que vous l'avez fait. »

Quand nous aurons reconnu que notre voisin qui souffre est l'image de Dieu Lui-même, et quand nous aurons saisi cette vérité dans toutes ses conséquences, alors il n'y aura plus de pauvreté, et nous, les Missionnaires de la Charité n'auront plus aucune œuvre à accomplir.

« *Le Christ a choisi d'apparaître méprisé, nécessiteux et pauvre en ce monde afin que ceux qui souffrent ici-bas d'une extrême pauvreté puissent devenir riches en Lui par la possession du Royaume des Cieux. Réjouissez-vous et soyez dans l'allégresse.* »

Sainte Claire d'Assise

« *Quel est en effet le plus grand, celui qui est à table ou celui qui sert ? N'est-ce pas celui qui est à table ? Et moi, je suis au milieu de vous comme celui qui sert.* »

Jésus, *Luc* 22, 27.

Du Pardon

« *Chaque être humain vient de la main de Dieu, et nous savons tous quelque chose de l'amour de Dieu pour nous. Quelle que soit notre religion, nous savons que si nous désirons vraiment aimer, il nous faut, avant toute autre chose, apprendre à pardonner.* »

Mère Teresa

« *Remets-nous nos dettes comme nous-mêmes avons remis à nos débiteurs.* »

Jésus, *Matthieu* 6, 12.

À New York, nous avons ouvert une maison pour les malades atteints du sida qui figurent aujourd'hui parmi les gens les plus rejetés. Quelle incroyable transformation s'est opérée dans leur vie; simplement parce que quelques Sœurs, qui ont décidé de prendre soin d'eux, leur ont procuré un toit. Un lieu, peut-être l'un des rares lieux où ils se sentent aimés, où ils existent aux yeux de quelqu'un. Cela a transformé leur vie au point d'embellir leur mort. Il n'est pas un d'entre eux qui soit parti dans la détresse.

L'autre jour, une Sœur m'a appelée au téléphone pour me parler de l'agonie de l'un de ces jeunes et qui, chose étrange, ne se laissait pas mourir.

« Qu'y a-t-il? lui avait-elle demandé.

— Ma Sœur, je ne peux pas mourir jusqu'à ce que mon père m'ait pardonné. »

La Sœur s'était donc mise en quête du père, l'avait trouvé. Et quelque chose d'extraordinaire s'était produit, telle une page vivante de l'Évangile. Le père avait embrassé son fils et s'était écrié : « Mon fils ! Mon fils bien-aimé ! » Et le fils avait supplié le père : « Pardonne-moi ! Pardonne-moi ! » Et tous deux s'étaient retrouvés là, l'un contre l'autre, tendrement. Quelques heures plus tard, le jeune homme était mort.

Quand nous comprendrons que nous sommes tous des pécheurs, que nous avons tous besoin du pardon, il nous sera aisé de pardonner aux autres. Il faut que nous soyons pardonnés pour pouvoir pardonner. À ne pas saisir cela, il me sera très difficile de dire « je te pardonne » à quiconque s'avance vers moi dans cet espoir.

La confession est un acte magnifique, un acte de grand amour. Là, seulement, nous pouvons nous rendre en tant que pécheurs, porteurs du péché, et de là, seulement, nous pouvons repartir en tant que pécheurs, sans péché.

La confession n'est jamais que l'humilité entrée en action. Nous l'appelions autrefois pénitence, mais il s'agit vraiment d'un sacrement d'amour, du sacrement du pardon. Quand une brèche s'ouvre entre moi et le Christ, quand mon amour se fissure, n'importe quoi peut venir remplir cette fêlure. La confession est ce moment où je permets au Christ d'ôter de moi tout ce qui divise, tout ce qui détruit.

La réalité de mes péchés doit être première. Pour la plupart d'entre nous existe le danger d'oublier que nous sommes des pécheurs, et que nous devons nous rendre en confession comme tels. Nous devons nous rendre vers Dieu pour lui dire combien nous sommes désolés de tout ce que nous avons pu commettre et qui L'a blessé.

Le confessionnal n'est pas un lieu de conversations banales ou de bavardages. Y préside un seul sujet — mes péchés, mes regrets, mon pardon; comment vaincre mes tentations, comment pratiquer la vertu, comment grandir dans l'amour de Dieu.

La pénitence est absolument nécessaire. Rien n'est plus puissant pour restreindre les passions désordonnées de l'âme et pour soumettre les appétits naturels à une juste raison. Par la pénitence, nous arrivons à goûter ces joies et ces délices célestes qui transcendent les plaisirs terrestres, tout comme l'âme surpasse le corps; et le ciel, la terre.

Notre pénitence est un acte d'amour parfait de Dieu, de l'homme, et de l'entière création. C'est pour nous une joyeuse identification au Christ crucifié; c'est un désir ardent de se perdre en Lui afin que, de nous, il ne reste rien que Lui seul dans Sa gloire étincelante qui mène tous les hommes au Père.

L'autre jour, quelqu'un, un journaliste, m'a posé une étrange question.

« Vous-même, allez-vous en confession ?

— Oui, je vais en confession chaque semaine, ai-je répondu.

— Dieu doit être plus qu'exigeant si vous-même avez à vous confesser. »

Ce fut à mon tour de lui dire : « Il arrive parfois à votre propre enfant de mal agir. Que se passe-t-il quand il vous annonce : "Papa, je suis désolé !" Que faites-vous ? Vous enlacez votre enfant et vous l'embrassez. Pourquoi ? Parce que c'est votre façon de lui dire que vous l'aimez. Dieu fait la même chose. Il vous aime tendrement. » Que nous ayons péché ou que nous ayons commis une faute, faisons en sorte que cela nous aide à nous rapprocher de Dieu. Disons-Lui humblement : « Je sais que je n'aurais pas dû agir ainsi, mais même cette chute, je te l'offre. »

Si nous avons péché, si nous avons fauté, allons vers Lui et disons-Lui : « Je suis désolé ! Je me repens ! « Dieu est un père qui prend pitié. Sa miséricorde est plus grande que nos péchés. Il nous pardonnera.

Telle est l'humilité : avoir le courage d'accepter l'humiliation et de recevoir le pardon de Dieu. Nos âmes devraient être comme un cristal limpide que le regard de Dieu peut traverser. Il peut arriver que notre cristal soit maculé, couvert de poussière. Pour enlever cette poussière, un examen de conscience est nécessaire afin de purifier notre cœur. Dieu nous y aidera pour autant que nous le Lui permettrons ; si telle est notre volonté, Sa volonté l'accomplira.

Peut-être est-ce ce dont nous avons manqué. L'examen de conscience est le miroir que nous tendons à la nature : une auscultation à mesure humaine certainement, mais dont nul ne peut se passer pour retranscrire fidèlement ses fautes. Si nous entreprenons cette tâche avec une grande exactitude, peut-être verrons-nous que ce que nous considérions comme une pierre d'achoppement n'est qu'un obstacle que nous pouvons surmonter. La connaissance de notre péché nous aide à nous élever : la connaissance de soi est indispensable à la confession. C'est pourquoi il y eut des saints pour se qualifier de criminels endurcis. Ils avaient contemplé Dieu, s'étaient contemplés eux-mêmes, et avaient vu la différence. Souvent, nous nous sentons blessés parce que nous ne nous connaissons pas, nos yeux n'étant pas fixés sur Dieu seul ; et ainsi nous ne possédons aucun savoir concret de

Dieu. Quand les saints s'inspiraient à eux-mêmes une telle horreur, c'était par réalisme. Ils ne simulaient en rien ce sentiment.

La connaissance de ce que nous sommes nous aidera à nous fortifier alors que le péché et la complaisance nous conduiront à l'abattement. Cette science engendre une confiance et une assurance autrement profondes. Car tu te tournes alors vers Jésus pour qu'Il te soutienne dans ta faiblesse, alors que là où tu te pensais fort tu n'avais aucun besoin de notre Seigneur.

La réconciliation débute avec nous-mêmes. Elle commence par un cœur pur, un cœur apte à voir Dieu dans les autres.

Dans la constitution des Missionnaires de la Charité, il y a quelques très belles lignes qui évoquent la tendresse du Christ, son amour et son amitié fidèles. Pour rendre cet amour autrement vécu, mieux assuré, plus tendre, Jésus nous donne l'Eucharistie. C'est pourquoi chaque Missionnaire de la Charité doit se nourrir de la communion afin d'être un authentique messager de l'amour divin, doit vivre de l'Eucharistie et avoir son cœur et sa vie liés à l'Eucharistie. Aucune Missionnaire de la Charité ne peut conférer Jésus si elle n'a pas Jésus dans son cœur.

Notre vie dépend de l'Eucharistie. Par la foi dans le corps du Christ, par l'amour du corps du Christ, sous la figure du pain, nous prenons littéralement le Christ : « J'avais faim et vous M'avez donné à manger. J'étais un étranger et vous M'avez accueilli. J'étais nu et vous M'avez vêtu. »

L'Eucharistie elle-même dépend de la passion. Ce matin je donnais la communion — deux de mes doigts tenaient Jésus. Essaie de comprendre que Jésus permet lui-même d'être morcelé.

L'Eucharistie implique plus que le fait de recevoir. Elle implique aussi le fait d'apaiser la faim du Christ. Il dit : « Venez à Moi. » Il est affamé de nos âmes. Nulle part, on ne trouve dans l'Évangile « allez-vous-en », mais toujours « venez à moi ». Demande à Jésus d'être avec toi, d'œuvrer avec toi afin que tu puisses porter le travail en offrande dans ta prière. Tu dois être certain que tu as reçu Jésus. Après quoi, tu ne pourras plus abandonner ta langue, tes pensées ou ton cœur à l'amertume.

Jamais nous ne devons séparer l'Eucharistie et le pauvre, ou le pauvre et l'Eucharistie. Il a satisfait ma faim de Lui et maintenant je m'en vais satisfaire Sa faim des âmes, Sa faim d'amour.

L'Eucharistie est le sacrement de la prière, la fontaine et le sommet de la vie chrétienne. Mais notre Eucharistie demeure inachevée si elle ne conduit pas à aimer et à servir le pauvre.

Quelqu'un pourrait cependant demander : « Qui sont-ils ces plus pauvres d'entre les pauvres ? » Ce sont tous ceux qui sont rejetés, affamés, oubliés, spoliés ; les vagabonds, les lépreux, les alcooliques, les drogués. Mais nous aussi, les Missionnaires de la Charité, sommes les plus pauvres d'entre les pauvres. Travailler, voir, aimer : rien de cela ne nous est possible sans l'union eucharistique.

Quand nous nous remémorons qu'à la communion, ce matin même, nous avons tenu dans nos mains toute la sainteté de Dieu, alors, nous nous sentons plus désireux de nous abstenir de tout ce qui pourrait souiller notre pureté. De là se répand un sincère et profond respect de notre personne — respect qui s'étend aux autres, nous intimant de les traiter délicatement et pareillement, de nous abstenir de toute sentimentalité désordonnée.

La sainte communion, le mot l'indique, est

l'union intime de Jésus et de nous-mêmes, qui sommes une âme en un corps. Les saints le surent si bien qu'ils pouvaient passer des heures à se préparer, et encore plus d'heures à rendre grâces. Ceci se passe de tout commentaire. Car qui pourrait expliquer « l'abîme insondable de la sagesse et de la science de Dieu » ? « Comme sont ineffables Ses jugements ! s'écrie saint Paul. Et combien insondables sont Ses voies, car qui peut dire connaître l'intelligence du Seigneur ? »

Si tu veux réellement grandir dans l'amour, retourne à l'Eucharistie et répétons ensemble, souvent au cours de la journée : « Seigneur, lave-moi de mes péchés et purifie-moi de toute mon iniquité. »

Le Christ lui-même s'est fait le Pain de la Vie. Il voulait se donner à nous d'une façon singulière, d'une façon simple et tangible car il est difficile aux êtres humains d'aimer un Dieu qu'ils ne peuvent pas voir.

« *Le pécheur repentant, notre Seigneur le reçoit dans sa miséricorde.* »

Sainte Thérèse de Lisieux

« *Quand donc tu présentes ton offrande à l'autel, si là tu te souviens que ton frère a quelque chose contre toi, laisse là ton offrande, devant l'autel, et va d'abord te réconcilier avec ton frère ; puis reviens et alors présente ton offrande.* »

Jésus, *Matthieu* 5, 23-24.

De l'Enfance et de la Famille

« *J'accepterai de prendre n'importe quel enfant, à n'importe quelle heure, la nuit ou le jour. Dites-le-moi et je viendrai le chercher.* »

Mère Teresa

« *Laissez les petits enfants venir à moi ; ne les empêchez pas car c'est à leurs pareils qu'appartient le Royaume de Dieu.* »

Jésus, *Marc* 10, 14.

J'ai une conviction que j'entends partager avec toi. L'amour commence dans chaque foyer. Et chacun devrait s'assurer qu'un profond amour familial anime sa maisonnée. Ce n'est que lorsque l'amour imprègne la maison que nous pouvons le partager avec nos voisins. Alors il émanera de lui-même et tu seras à même de dire à d'autres : « Oui, l'amour est ici. » Et ainsi, pourras-tu le partager avec quiconque alentour.

∽

Ayant trouvé une petite fille dans la rue, je l'avais menée à notre foyer des enfants — un endroit plaisant où la nourriture est bonne. Elle y reçut des vêtements propres et nous nous efforçâmes de la rendre aussi heureuse que possible.

Quelques heures plus tard, la petite fille disparut. Je me mis à sa recherche, mais ne pus la trouver. Quelques jours passèrent avant que je ne puisse mettre la main sur elle. La ramenant à notre foyer, je dis à une Sœur : « Ma Sœur, je t'en prie, suis cette enfant partout où elle ira. »

La petite fille disparut une fois de plus. Mais la Sœur découvrit où elle allait et pourquoi. La petite fille n'avait de cesse en fait de rejoindre sa mère qui vivait sous un arbre au coin d'une rue avec, pour tout mobilier, deux pierres qui lui servaient de cuisine.

La Sœur me fit passer un mot d'explication et je décidai de me rendre moi-même à cet endroit. Parce qu'elle était avec sa mère qui l'aimait et qui lui préparait ses plats favoris sur sa cuisinière improvisée, en plein air, une immense joie se lisait sur le visage de la fillette.

« Comment se fait-il que tu ne restes pas avec nous ? Tu profitais de tant de belles choses dans notre foyer, lui demandai-je.

— Je ne pouvais pas vivre sans ma mère. Elle m'aime », répondit-elle.

Cette petite fille était plus heureuse de la pauvre nourriture que lui préparait sa mère que de ce que je lui avais donné.

Tout le temps que l'enfant était restée avec nous, j'avais pu difficilement percevoir un seul sourire sur son visage. Mais, alors que je la retrouvais, là, avec sa mère, dans la rue, toutes deux souriaient.

Pourquoi ? Parce que toutes deux formaient une famille.

Dès le départ, dès que l'amour s'instaure dans une maison, je pense qu'il nous faut enseigner à nos enfants à s'aimer les uns les autres. je pense que cela fortifiera nos enfants de manière à ce que, eux-mêmes, plus tard, puissent transmettre cet amour à d'autres.

Je ne peux me souvenir, dans l'instant, de quelle ville il s'agissait, mais je me rappelle clairement le spectacle de ces rues sans enfants. La vue des enfants me manquait. Soudain, alors que je descendais une avenue, j'aperçus un landau que poussait une jeune femme. Je traversai, juste pour aller voir le bébé. Ce fut pour découvrir, effarée, que le landau ne contenait pas d'enfant, mais un petit chien. Apparemment, cette femme avait ainsi comblé un manque immense dans son cœur : ne pouvant pas avoir d'enfant, elle avait cherché un substitut. Un chien. Moi-même, j'aime les animaux, mais le procédé ne m'en parut pas moins choquant.

Les gens ont peur d'avoir des enfants. Les enfants ont perdu la place qui était la leur au sein de la famille. Les enfants sont tellement et désespérément seuls ! Quand ils reviennent de l'école, il n'y a personne pour les accueillir à la maison. Ils rejoignent alors la rue. Nous devons retrouver nos enfants, les ramener à la maison. Au cœur du foyer, il y a la mère ; et les enfants ont besoin de leur mère. Si la mère est là, les enfants y seront aussi. Et pour que la famille soit entière, les enfants et la mère ont à leur tour besoin de la présence du père au foyer. À les aider à se retrouver tous ensemble, nous accomplissons une chose agréable à Dieu.

Nous sommes là pour être les témoins de l'amour, pour célébrer la vie car la vie a été créée à l'image de Dieu. Vivre, c'est aimer et être aimé. Comment pourrions-nous ne pas prendre une ferme position en faveur de l'enfance ? Qu'aucun garçon, qu'aucune fille ne soit jamais rejeté ou privé d'amour ! Chaque enfant est un signe de l'amour de Dieu, ce principe devant être étendu à la terre entière.

Si tu entends dire qu'une femme ne veut pas de son enfant, qu'elle veut avorter, tâche de la convaincre de m'apporter l'enfant. J'aimerai cet enfant, signe de l'amour de Dieu.

Je laisse à d'autres le débat sur ce qui est légal et illégal. Je pense toutefois qu'aucun cœur humain ne devrait admettre que l'on ôte la vie, qu'aucune main humaine ne devrait se lever pour détruire la vie. La vie est la vie de Dieu en nous. La vie est le plus grand don que Dieu ait accordé aux êtres humains, et l'homme a été créé à l'image de Dieu. La vie appartient à Dieu et nous n'avons aucun droit de l'anéantir.

∽

Aussitôt que Marie fut visitée par l'Ange, elle se rendit en hâte chez sa cousine Élisabeth qui elle-même attendait un enfant. Et l'enfant à naître, Jean-Baptiste, tressaillit de joie dans le sein d'Élisabeth. Quelle merveille — Dieu tout-puissant choisit un enfant à naître pour annoncer la venue de Son Fils !

Marie, par le mystère de l'Annonciation et de la Visitation, représente le modèle même de la vie que nous devrions mener : d'abord, elle accueillit Jésus dans son existence ; ensuite, ce qu'elle avait reçu, elle le partagea. Chaque fois que nous prenons la Sainte Communion, Jésus le Verbe devient chair dans notre vie — don de Dieu, tout à la fois beau, gracieux, singulier. Telle fut donc l'Eucharistie d'origine : l'offertoire de Son Fils en elle, en qui Il avait établi le premier autel. Marie, la seule qui pouvait affirmer d'une absolue confiance, « ceci est mon corps », à partir de ce moment-là, offrit son propre corps, sa force, tout son être à la formation du corps du Christ.

Notre mère l'Église a élevé les femmes à un grand honneur devant la face de Dieu, en proclamant Marie, Mère de l'Église.

⁓

Lorsque nous avons été invitées à prendre soin, au Bangladesh, de ces jeunes femmes violées par des soldats, la nécessité d'ouvrir un foyer pour enfants nous est immédiatement apparue. Cela n'allait pas sans difficultés, car la réintégration sociale de femmes violées contredisait à la fois les mentalités hindoue et musulmane. Mais lorsque le président du Bangladesh déclara que ces jeunes femmes étaient des héroïnes nationales qui, ayant lutté pour défendre leur intégrité, s'étaient du même coup battues pour leur pays, jusqu'à leurs parents acceptèrent de les revoir. Cependant, certaines personnes préconisaient l'avortement comme solution. Je déclarai alors au gouvernement que là où ces femmes n'avaient fait que subir la violence, on voulait désormais leur faire commettre, ou les aider à commettre, une transgression qui les accompagnerait tout au long de leur vie. Grâce à Dieu, le gouvernement accepta notre proposition : chaque enfant à naître, et qui aurait autrement connu le sort de l'avortement, serait accueilli dans notre foyer. Sur les quarante enfants qui nous furent confiés, plus du tiers furent adoptés par de généreuses familles du Canada et d'ailleurs.

Je crois que les pleurs des enfants qui ne sont jamais nés, car ils ont été tués avant même d'avoir vu la lumière du jour, blessent Dieu profondément.

Nous avions demandé à Dieu de nous envoyer quelqu'un capable d'aider les femmes indiennes à surmonter leurs problèmes par une démarche qui, alliant un corps sain et un esprit sain, favoriserait l'épanouissement de leur famille. Vint une Sœur originaire de l'île Maurice qui avait suivi un cours sur le planning familial.

Aujourd'hui, plus de trois mille familles recourent ainsi à la méthode naturelle du planning familial, avec environ quatre-vingt-quinze pour cent de succès. À la vue des résultats, les gens viennent nous voir pour exprimer leur gratitude : « Notre famille est restée unie, en bonne santé, et nous avons un enfant lorsque nous le désirons. »

Il faudrait, je pense, exporter cette méthode

dans chaque pays; si nos pauvres l'adoptaient, leur vie familiale, les relations entre les parents et les enfants en son sein seraient plus apaisées, plus aimantes.

Souvent, les gens plaisantent avec moi (ou plutôt à mon sujet) sur le fait que nous enseignons cette méthode naturelle. Ils disent: « Mère Teresa n'arrête pas de parler du planning familial, mais elle-même ne le met pas en pratique. Jour après jour, elle a toujours plus d'enfants. »

De fait, il en va ainsi. Nos foyers débordent d'enfants. Et au fur et à mesure qu'ils arrivent, Dieu se montre encore plus extraordinaire à notre égard. Tu serais surpris de voir l'amour qui se répand sur ces tout-petits qui ont été rejetés et qui, autrement, auraient fini dans le caniveau.

Je considère que le monde d'aujourd'hui est sens dessus dessous, et qu'on y voit tant de souffrances parce qu'il y a peu d'amour dans chaque foyer. Nous ne consacrons pas de temps à nos enfants. Nous ne consacrons pas de temps l'un à l'autre. Il n'y a pas une minute pour que tous se réjouissent d'être ensemble.

C'est ce manque d'amour qui provoque le sentiment de malheur qui domine le monde.

Savons-nous percevoir les besoins de nos enfants ? Est-ce que nos enfants rentrent à la maison en notre compagnie, comme Jésus le faisait avec Marie Sa mère ? Offrons-nous un foyer à nos enfants ?

Quand nos enfants, éloignés de nous, se retrouvent soumis aux mauvaises influences, ressentons-nous cette profonde tendresse qui nous fait nous mettre à leur recherche pour les ramener auprès de nous, les accueillir avec douceur sous notre toit, et les aimer de tout notre cœur ?

Chacun aujourd'hui semble vivre dans une horrible frénésie, toujours plus avide de confort et de richesse. Les enfants n'ont guère de temps pour leurs parents, les parents n'ont guère de temps pour leurs enfants, et encore moins pour leur vie de couple. Aussi, la fêlure du règne de la paix dans le monde commence-t-elle à la maison.

Transmets la prière à ta famille, transmets-la à tes petits enfants. Enseigne-leur à prier. Car un petit qui prie est un enfant heureux. Une famille qui prie est une famille unie. L'on rapporte si souvent le cas de familles brisées. Et, à y regarder de près, pourquoi le sont-elles? C'est, je le crois, parce qu'elles n'ont jamais connu la communauté de la prière. Elles ne se sont jamais offertes en prière devant le Seigneur.

✍

Sans cesse me revient le souvenir de ma mère. Tout au long de la journée, elle se montrait très occupée. Mais, quand venait le crépuscule, elle se dépêchait de finir ses tâches ménagères et se préparait à accueillir mon père. Ce rituel nous divertissait alors, et nous nous en moquions même gentiment. Ce n'est qu'aujourd'hui que je comprends toute la délicatesse de l'amour qu'elle lui portait. Quoi qu'il ait pu arriver, elle était toujours prête à le recevoir, le sourire aux lèvres.

Dans l'agitation du monde contemporain, qui, rentrant chez lui, y trouve quelqu'un pour lui sourire? À aider, aujourd'hui, nos enfants à devenir ce qu'ils doivent être, nous leur donnons, pour demain, le courage d'affronter la vie avec un plus grand amour. Cet amour qu'ils trouvent dans le foyer, et qu'il nous faut leur apprendre, ne peut découler que de celui qu'ils voient exister entre leurs parents. Seulement ainsi, ils le transmettront à leur tour.

Les gens qui s'aiment vraiment, concrète-
ment, sont les plus heureux du monde. Les
pauvres en sont la preuve vivante. Ils aiment
leurs enfants, ils aiment leur famille. Qu'ils
aient peu, qu'ils n'aient rien, ne les empêche
pas d'être des gens heureux.

Jésus naquit dans une famille et vécut à
Nazareth pendant trois décennies. Venu pour
sauver le monde, Il n'en passa pas moins trente
ans à accomplir l'humble labeur d'une personne ordinaire dans une bourgade anonyme.
Il consacra toutes ces années à une vie toute
familiale.

Un enfant représente le plus grand des dons
que Dieu puisse faire à une famille, car un
enfant est le fruit de l'amour entre ses parents.

« *Si vous voulez être une famille heureuse, si vous voulez être une famille sainte, donnez vos cœurs à l'amour.* »

Mère Teresa

« *Jésus appela à lui ces enfants en disant : "Laissez les petits enfants venir à moi. Ne les empêchez pas..." Aussi bien ne peuvent-ils plus mourir car ils sont pareils aux anges et ils sont fils de Dieu, étant les fils de la résurrection.* »

Luc 18, 16 et 20, 36.

De la Souffrance et de la Mort

« *Le prix dont Dieu récompense notre renoncement à nous-mêmes, c'est Lui-même.* »

Mère Teresa

« *Venez à moi, vous tous qui peinez et ployez sous le fardeau, et moi je vous soulagerai. Chargez-vous de mon joug et mettez-vous à mon école car je suis doux et humble de cœur, et vous trouverez soulagement pour vos âmes. Oui, mon joug est aisé et mon fardeau léger.* »

Jésus, *Matthieu* 11, 28-30.

Souvent, mes pensées s'élancent vers toi qui souffres, et je présente tes souffrances en offrande, souffrances si grandes, alors que les miennes sont si modestes.

Toi qui es malade, quand tout te devient pénible, prends refuge dans le cœur du Christ. C'est là que mon propre cœur trouvera, en ta compagnie, puissance et amour.

Souvent, quand mon travail est éprouvant, je pense à ceux de nos Collaborateurs qui sont malades et je dis à Jésus : « Jette les yeux sur eux, Tes enfants qui souffrent, et bénis mon travail pour l'amour d'eux. » Je me sens dans l'instant réconfortée. Vois-tu, ils sont notre trésor caché, la force secrète des Missionnaires de la Charité. J'éprouve personnellement beaucoup de joie, et une énergie nouvelle envahit mon âme chaque fois que je pense à ceux qui nous sont spirituellement unis.

Tout récemment le Bengale a vu la manne tomber sous la forme d'un authentique mouvement de charité. La nourriture et les vêtements arrivaient de partout, envoyés par des écoles, des femmes, des hommes et des enfants, afin de pallier le désastre de la mousson. Le cataclysme avait été terrible mais il n'en avait pas moins suscité quelque chose de beau. Il avait suscité le partage. Il avait suscité le souci et l'attention à l'égard de nos frères et sœurs qui avaient subi cette calamité naturelle. Innombrables étaient ceux qui manifestaient cette solidarité et, de maison en maison, l'on pouvait voir les gens préparer des repas pour les réfugiés. Il était émouvant de voir comment tant de souffrance avait aidé tant de bonté à se manifester en tant d'êtres.

Jamais la souffrance ne sera complètement absente de nos vies. N'aie donc pas peur de souffrir. Ta souffrance peut être un grand ferment d'amour si tu sais en user, et tout particulièrement si tu l'offres pour la paix du monde. En soi et par soi, la souffrance est stérile. Mais celle qui est vécue en partage de la passion du Christ peut se révéler un don merveilleux et un signe d'amour. Ce que le Christ Lui-même a souffert s'est révélé être un don, le plus grand don de l'amour, car à travers Ses souffrances nos péchés ont été rachetés.

La souffrance, la douleur, l'affliction, l'humiliation, la désolation ne sont rien d'autre que le baiser de Jésus, la marque que tu es devenu proche au point qu'Il puisse t'embrasser.

Souviens-toi que la passion du Christ s'achève toujours dans la joie de la résurrection du Christ ; aussi, lorsque tu ressens en ton cœur la souffrance du Christ, souviens-toi qu'immanquablement se profile la résurrection. Que jamais rien ne t'amertume au point que tu en oublies la joie du Christ ressuscité.

En vingt-cinq ans, trente-six mille clochards, abandonnés à la rue, ont été recueillis par nos soins, et plus de dix-huit mille se sont éteints, en connaissant une belle mort.

Chaque fois que nous ramassons l'un d'entre eux, nous lui donnons immédiatement un plat de riz, et, en une seconde, il revit. Il y a quelques nuits de cela, nous en avons recueilli quatre dont une femme dans un état plus que pitoyable, couverte de plaies, mangée par les vers. J'ai alors dit aux Sœurs que je prendrais soin d'elle pendant qu'elles-mêmes s'occupe-raient des trois autres. J'ai réellement fait pour cette femme tout ce que mon amour pouvait. Alors que je la couchais, elle me prit la main. Sur son visage se dessina un sourire d'une infi-nie beauté! Elle arriva à articuler : « Merci. » Puis elle s'éteignit.

Il y avait dans tout cela une grandeur, celle de l'amour. Elle avait été affamée d'amour et elle avait reçu cet amour avant de mourir. Elle n'avait dit qu'un seul mot mais il avait suffi à exprimer son affection bienveillante.

À New York, nous avons un foyer pour ceux qui souffrent de ce que je nomme la « lèpre de l'Occident », pour les malades mourant du sida. Ce foyer, je l'ai ouvert à la veille de Noël, comme un cadeau à Jésus pour son anniver-saire. Nous avons commencé avec quinze lits destinés aux malades les plus matériellement démunis ainsi qu'à quatre jeunes gens que j'avais sortis de prison tant ils ne voulaient pas y mourir. Tels furent nos premiers hôtes. Je leur avais fait aménager une petite chapelle. Ainsi, ces jeunes gens qui n'avaient jamais été proches de Jésus pouvaient aller vers Lui au cas où ils le désireraient. Par la bénédiction de Dieu et son amour, leurs cœurs connurent une transformation radicale.

Lorsque je revins au foyer, l'état de l'un d'entre eux avait empiré. Il avait fallu l'hospitaliser. Nous allâmes lui rendre visite. Dès qu'il nous vit, il me dit : « Mère Teresa, tu es mon amie. J'aimerais m'entretenir avec toi en tête à tête. » Les Sœurs sortirent alors de la chambre et il commença à parler. Et qu'avait-il à dire ce jeune homme, lui qui depuis vingt-cinq ans n'était pas allé en confession, n'avait pas reçu la Sainte Communion, et qui tout ce temps n'avait rien eu à voir avec Jésus ? Ce fut pourtant lui que j'entendis me déclarer : « Tu sais, Mère Teresa, quand j'ai une horrible migraine, je la compare à la douleur de Jésus lorsqu'on L'a coiffé d'une couronne d'épines. Quand une courbature s'empare de mon dos, je la compare à la douleur de Jésus lorsqu'Il a été flagellé. Quand la névralgie gagne mes mains et mes pieds, je la compare avec la douleur de Jésus lorsqu'ils Le crucifièrent. Maintenant, je te demande de me ramener à la maison. Je veux mourir auprès de toi. »

Avec la permission du médecin, je le fis transporter au foyer. Et là, je l'installai dans la chapelle. Jamais je n'ai vu quelqu'un s'adresser à Dieu comme ce jeune homme le fit alors. Il y avait tant d'affection entre Jésus et lui. Trois jours passèrent avant qu'il ne mourût.

Il est difficile de comprendre la transformation subie par ce jeune homme. À quoi était-elle due? Peut-être, simplement, à la tendre bienveillance des Sœurs qui lui avait assuré que Dieu l'aimait.

En tant que chrétiens, nous avons été créés à des fins sublimes, promis que nous sommes à la sainteté puisque créés à l'image de Dieu. Et ainsi, lorsque quelqu'un meurt, disons-nous que cette personne s'en retourne à la maison, chez Dieu. Là où nous sommes tous destinés à nous rendre.

L'une de nos Sœurs était partie étudier à l'étranger. Le jour même où elle devait recevoir son diplôme, elle succomba à la maladie qui depuis quelque temps la minait. Alors qu'elle agonisait, elle demanda : « Pourquoi Jésus m'a t-il appelée à servir pour un temps si court? » Et sa supérieure lui répondit : « Jésus te veut toi, et non pas tes œuvres. » Et après cette parole elle fut pleinement apaisée.

À l'heure de notre mort, nous ne serons pas jugés par la charge de travail que nous aurons accomplie, mais par le poids de l'amour que nous y aurons mis. Un amour qui doit jaillir du sacrifice de soi, éprouvé au point d'en avoir mal.

La mort, en dernier ressort, n'est jamais que la plus aisée et la plus rapide des voies pour s'en retourner à Dieu. Si seulement nous pouvions faire comprendre aux gens que nous provenons de Dieu et que nous devons Lui revenir.

La mort est le plus crucial instant de toute vie humaine. Elle est telle un couronnement — passer en trouvant la paix en Dieu.

La mort peut être belle, une célébration. Elle est cette heure du départ où l'on s'en retourne chez soi. Celui, ou celle, qui meurt en Dieu part retrouver sa demeure. Certes, naturellement, la personne qui a trépassé nous manquera. Mais ce qu'il y a de beauté dans tout cela n'en demeure pas moins. Cette personne s'en est allée vers Dieu, s'en est retournée chez elle, chez Dieu.

« *Je me vis mourante du désir de voir Dieu et je ne sus pas comment rechercher cette vie autrement qu'en mourant. Autour de mon esprit, étincellent et flottent dans une divine radiance les visions lumineuses et glorieuses du monde vers lequel je me rends.* »

Sainte Thérèse d'Avila

« *En vérité, en vérité je vous le dis, celui qui écoute ma parole et croit à Celui qui m'a envoyé a la vie éternelle... L'heure vient — et c'est maintenant — où les morts entendront la voix du Fils de Dieu, et ceux qui l'auront entendue vivront.* »

Jésus, *Jean* 5, 24-25.

De l'Ordre des Missionnaires
de la Charité

« *Pour être un ou une Missionnaire de la Charité, il faut avoir une bonne santé mentale et physique, une capacité à apprendre, une juste dose de bon sens, et un joyeux tempérament.* »

Mère Teresa

« *Une seule chose te manque : va, ce que tu as, vends-le et donne-le au pauvre... Puis, viens, suis-moi.* »

Jésus, *Marc* 10, 21.

Nos Sœurs et nos Frères se nomment les Missionnaires de la Charité. Ce sont de jeunes gens, appelés à être les messagers de l'amour de Dieu. Est missionnaire celui qui est envoyé pour une mission — un message à livrer. Tout comme Jésus a été envoyé par Son Père, nous sommes envoyés par Lui remplis de Son Esprit afin d'être les témoins de Son évangile d'amour et de compassion, d'abord au sein même de nos communautés et ensuite, par notre apostolat auprès des plus pauvres des pauvres, dans le monde entier.

J'ai toujours su que Dieu attendait quelque chose de moi. J'avais douze ans et vivais avec mes parents à Skopje lorsque je ressentis pour la première fois le désir de devenir une moniale. Il y avait alors d'excellents prêtres qui aidaient garçons et filles à vivre leur vocation, selon l'appel reçu de Dieu. Ce fut à ce moment que je compris que j'étais appelée à servir les pauvres.

Entre mes douze et dix-huit ans, je perdis le

désir d'une vie consacrée. Cependant, à dix-huit ans, je décidai de partir de chez moi et d'entrer chez les Sœurs de Notre-Dame-de-Lorette. Depuis, jamais je n'ai eu le moindre doute sur le bien-fondé de cette décision. C'était la volonté de Dieu : c'est Lui qui a fait ce choix. Les Sœurs de Lorette se vouaient à l'enseignement qui est une forme authentique d'apostolat ; mais ma vocation particulière, au sein même de l'engagement religieux, tenait aux pauvres. C'était un appel venant du dedans de ma vocation — comme une seconde voca-tion. C'était un ordre de quitter Lorette où j'étais heureuse pour servir les pauvres dans la rue.

L'an 1946, alors que je me rendais par train à Darjeeling pour une récollection consacrée à des exercices spirituels, je ressentis un appel à tout abandonner, à renoncer à tout, à suivre le Christ dans les faubourgs misérables, à servir parmi les miséreux.

∽

Notre vie spirituelle est une vie d'abandon à Dieu. Notre travail est notre prière car nous l'accomplissons à travers Jésus, en Jésus et pour l'amour de Jésus.

Une vocation est un don du Christ. Lui-

même a dit : « Je vous ai choisi. » Chaque vocation doit réellement appartenir au Christ.
L'œuvre que nous sommes appelés à parfaire
n'est que le moyen de donner un substrat
concret à notre amour de Dieu.

Notre vocation n'est rien d'autre que
d'appartenir au Christ. Le travail que nous faisons est uniquement une manière de traduire
en acte vivant notre amour du Christ.

Toutes les formes de vie consacrées — les
moniales, les moines, les prêtres et le Saint-
Père lui même —, toutes dépendent d'une seule
et même vocation : être à Jésus. « Je t'ai choisi
pour que tu sois mien. » C'est notre vocation.
Les formes, la manière dont nous y vaquons
peuvent être différentes. Notre amour pour
Jésus, en acte, n'est qu'un moyen, un revête-
ment. Tout juste comme un habit. Je porte
ceci, tu portes cela. Question de moyens...
Mais une vocation c'est tout autre chose. La
vocation d'un chrétien, c'est Jésus.

Nous avons tous été appelés par Dieu. En
tant que missionnaires, nous devons être des
messagers de l'amour divin, prêts à nous précipiter comme Marie à la recherche des âmes ;
être des cierges incandescents qui transmettent la lumière à tous les hommes ; être le
sel de la terre, être des âmes consumées par un
seul désir : Jésus.

Nous devons savoir à la perfection ce que *oui* suppose quand nous disons *oui* à Dieu. Ce *oui* signifie « je m'abandonne », totalement, complètement, sans en compter le prix, sans aucune réflexion comme : « Est-ce que cela est juste ? Est-ce que cela est approprié ? » Notre *oui* à Dieu est sans aucune réserve.

Nous autorisons seulement Dieu à penser à l'avenir, car hier s'est enfui, demain n'est pas encore, et il n'est qu'aujourd'hui pour Le rendre connu, aimé et servi.

L'abandon total à Dieu doit se traduire dans les petites choses comme dans les grandes. Un seul mot y suffit : *oui* ! « J'accepte tout ce que tu donnes, et je donne tout ce que tu prends. » Il ne s'agit pas de faire des choses extraordinaires, de penser ou de formuler des choses phénoménales, mais d'un simple consentement : je me suis donné à Dieu, je lui appartiens.

Si quelque chose m'appartient, j'ai le pouvoir absolu de l'utiliser comme je l'entends. J'appartiens à Jésus, il peut faire de moi ce qu'Il veut.

L'abandon total implique un amour confiant. L'on ne peut pas s'abandonner totalement si l'on n'a pas confiance absolument, si l'on n'est pas animé d'un élan d'amour. Jésus s'en remettait à Son Père parce qu'Il connaissait son amour.

« Mon Père et Moi nous sommes Un. »
« Le Père est en Moi et Je suis dans le Père. »
« Je ne suis pas seul, le Père est avec Moi. »
« Père, entre Tes mains, Je remets Mon Esprit. »

Il faut lire l'Évangile de saint Jean et y relever combien de fois Jésus y utilise le mot « Père ».

Nous devons nous vider si nous voulons que Dieu nous emplisse. Nous devons être à même de nous donner si totalement que Dieu puisse prendre totalement possession de nous. Nous devons « donner quoi qu'Il prenne, et prendre quoi qu'Il donne ».

S'abandonner sans retour consiste à se donner entièrement à Dieu parce que Dieu s'est donné Lui-même à nous. Si Dieu qui ne nous doit rien est désireux de nous donner rien moins que Lui-même, pouvons-nous répondre en ne Lui donnant qu'une part de nous-mêmes ?

Renonçant à moi-même, je me donne moi-même à Dieu afin qu'Il puisse vivre en moi. Combien pauvres serions-nous si Dieu ne nous avait pas donné la faculté de nous donner à

Lui! Au lieu de quoi, de quelles richesses nous disposons ainsi! Combien il est facile de conquérir Dieu! Nous nous donnons à Lui, Dieu devient nôtre, et nous ne possédons plus rien d'autre que Lui.

Assurés de notre néant, forts de la bénédiction de l'obéissance, nous pouvons alors tout tenter, ne doutant de rien, car avec Dieu, tout est possible.

Nous disons souvent au Christ : « Fais de nous des communiants à tes souffrances. » Mais, quand quelqu'un est insensible à notre propos, qu'il nous est facile alors d'oublier ce partage avec le Christ! Il suffirait pourtant de nous rappeler que c'est Jésus qui nous accorde l'occasion, à travers cette personne et cette circonstance, d'accomplir quelque chose de beau pour Lui.

Qu'il y ait du ressentiment dans nos cœurs ou que l'humiliation nous soit difficile à accepter, et nous n'apprendrons pas l'humilité. Or, nous ne pouvons l'apprendre abstraitement. Jésus accepta l'humiliation. Jésus s'abaissa pour accomplir la volonté de Son Père, et Il le fit du début à la fin.

Nous devons avoir perpétuellement au cœur et à l'esprit Ses intérêts. Nous devons rendre présent notre Seigneur là où il ne l'est pas encore, marcher sans crainte d'agir comme Lui, affrontant courageusement le danger et la mort, avec Lui et pour Lui. Nous devons être prêts à accepter joyeusement la nécessité de mourir quotidiennement si nous voulons mener les âmes à Dieu, à payer le prix qu'Il acquitta pour ces âmes. Accepter de partir à tout moment pour n'importe quelle partie du monde, admettre et respecter les coutumes particulières des autres peuples, leur langue et leurs conditions de vie, savoir nous adapter chaque fois qu'il le faut, être heureux d'entreprendre n'importe quel labeur, nous réjouir de faire chaque sacrifice qui découle de notre vie missionnaire... Tout ceci implique l'obligation consciente de combattre la complaisance envers l'*ego* ainsi que l'amour du confort qui nous conduiraient à élire une médiocrité aussi commode qu'insignifiante. Nous sommes appelés à bâtir nos vies sur une saine rivalité avec le Christ, nous sommes appelés à être des guerriers en saris, car l'Église a aujourd'hui besoin de combattants. Notre cri de guerre doit être : « La lutte et non pas la fuite. »

L'Église de Dieu a aujourd'hui besoin de saints. Au nom de Jésus, nous devons aller librement dans les villes et les villages, de par le vaste monde, y compris là où règnent la misère et le danger, nous y rendre en compagnie de Marie, la Mère immaculée de Jésus, chercher les plus pauvres spirituellement d'entre les pauvres, avec la tendre affection qui est celle de Dieu et leur annoncer la Bonne Nouvelle du salut et de l'espérance, chanter avec eux Ses cantiques, leur apporter Son amour, Sa paix et Sa joie. Et, être présents, en esprit, dans chaque partie de l'immense création de Dieu, de la plus lointaine planète aux abysses de l'océan, de la chapelle d'un couvent abandonné à une église désertée, d'un centre d'avortement dans une ville à une prison dans une autre, de la source d'une rivière sur un continent à une grotte solitaire au flanc d'une montagne sur un autre ; et même au Ciel, aux portes de l'enfer, priant avec et pour toute chose de la création de Dieu afin que soit sauvé et sanctifié chaque être pour qui le sang du Fils de Dieu a été versé.

Dans le monde d'aujourd'hui, il est des gens qui se battent pour la justice et les droits de l'homme. Nous n'avons pas de temps à consacrer à de telles causes, parce que nous sommes en contact quotidien, permanent, avec des gens qui meurent de faim, qui meurent de n'avoir pas un morceau de pain et quelque affection.

Devrais-je me vouer au combat pour la justice alors que des gens dans le plus grand besoin sont en train de mourir, sous mes yeux, par manque d'un verre de lait ?

Toutefois, je tiens à affirmer que je ne condamne pas ceux qui mènent un tel combat. Il y a, j'en suis convaincue, une légitime diversité au sein du peuple de Dieu. Pour moi, cependant, la chose la plus importante est de servir les plus démunis. Par notre vocation même de Missionnaires de la Charité, nous nous tenons face au monde comme des ambassadeurs de la paix, prêchant le message d'un amour effectif, capable d'éradiquer toutes les barrières entre les cultures, les croyances ou les nationalités.

Dans les bidonvilles, les Sœurs devraient toujours aménager un foyer afin d'y rassembler les enfants des rues, quels qu'ils soient. Leur premier et immédiat souci doit être de les laver, de les nourrir, et, seulement ensuite, de les instruire, de les préparer à une possible scolarité. L'amour de Dieu doit leur être présenté d'une façon simple, stimulante et attrayante.

Si l'une des Sœurs vient à manquer de sérénité, je lui interdis de rendre visite aux pauvres. Ils ont suffisamment de raisons de se sentir tristes ; oserions-nous y ajouter le poids de notre propre mélancolie ? Il y a tant de malheur, tant de misère. Cette nature humaine qui est tellement la nôtre nous colle à la peau du début à la fin. Nous devons travailler durement, chaque jour, à triompher de nous-mêmes.

Demandons la grâce de nous pardonner l'un l'autre, selon la parole de Jésus. C'est à cette fin que nos Sœurs vivent une vie de prière et de sacrifice. C'est pour cela que nous commençons notre journée par la communion et un temps de méditation.

Chaque soir, quand nous revenons de notre labeur, nous nous rassemblons dans la chapelle pour une heure continue d'adoration. Dans la quiétude du crépuscule, nous trouvons la paix dans la présence du Christ. Cette heure d'intimité avec Jésus est cruciale. J'ai vu une grande transformation s'opérer dans notre congrégation depuis le jour où nous avons instauré la pratique quotidienne de l'adoration. Notre amour pour Jésus en est devenu plus familier. Notre amour les uns pour les autres, plus affectueux. Notre amour pour le pauvre, plus compatissant.

Nos Frères et nos Sœurs travaillent pour les plus pauvres des pauvres — les malades, les mourants, les lépreux, les enfants abandonnés. Mais, je tiens à vous dire qu'au cours de toutes ces années je n'ai jamais entendu un pauvre grogner ou maudire, je n'en ai jamais vu un terrassé par une dépression. Les pauvres sont des gens magnifiques; ils peuvent endurer les pires difficultés.

L'indifférence des gens qui passent sans même jeter un regard sur ceux que nous ramassons ne fait qu'attester leur ignorance, leur manque de foi. S'ils avaient l'intime conviction que celui ou celle qui est là, à ramper sur le sol, est leur frère ou leur sœur, je pense que, certainement, ils feraient un geste. Malheureusement, ils ne savent ni ce qu'est la compassion, ni qui sont ces malheureux. S'ils les comprenaient, ils deviendraient immédiatement conscients de la grandeur de ces êtres humains qui gisent dans le caniveau. Ils les aimeraient spontanément — et les aimer les conduirait à les servir.

Aux yeux du monde, il apparaît insensé que nous nous réjouissions d'une pauvre nourriture, que nous nous délections d'un gruau râpeux et insipide; que nous ne possédions que trois habits rapiécés faits de toile grossière et de vieilles soutanes — mais dont nous prenons grand soin car nous refusons d'en avoir un de plus; que nous nous plaisions à marcher dans des chaussures dépareillées, informes, et à nous laver dans un baquet d'eau au sein de minuscules cabinets; que nous suions, transpirions tout en dédaignant l'usage du ventilateur; que nous allions la faim au ventre, la soif en bouche, mais déclinions les invitations à manger chez les gens; que nous n'ayons ni radio ni tourne-disques qui feraient tellement de bien à nos nerfs fatigués après une dure journée de labeur; que nous voyagions à pied ou à bicyclette sous la pluie, ou dans la fournaise de l'été; que nous ne connaissions que la seconde classe des tramways ou la troisième classe surpeuplée des trains; que nous dormions à la dure, ayant une fois pour toutes renoncé aux épais et doux matelas qui seraient d'un tel confort pour nos corps douloureux et épuisés; que nous aimions nous agenouiller sur les minces tapis rugueux de la chapelle; que nous trouvions de la joie à partager les dortoirs des hôpitaux en demeurant parmi les pauvres du Christ, plutôt que de profiter des chambres privées que l'on nous offre; que nous soyons fiers de travailler comme des portefaix dans nos institutions ou au-dehors alors que nous pourrions employer des domestiques et nous réserver les tâches légères; que nous prenions plaisir à nettoyer les toilettes et à chasser la crasse comme s'il s'agissait du métier le plus beau du monde — et que nous appelions cela payer un hommage à Dieu! Combien sont-ils à penser de la sorte, à considérer que nous gâchons notre précieuse vie et enterrons nos talents?

Oui, à la seule lumière de la raison, nos vies sont plus que gâchées. Oui, nos existences sont sans raison, hors du Christ dans l'évidence de Sa pauvreté.

Notre belle œuvre pour les pauvres, *avec* eux, est un privilège, un don. Je pense que si nous allons vers les pauvres avec cet amour, avec le seul désir de leur communiquer Dieu, d'apporter la joie du Christ (qui est notre force) sous leur toit, et que si en nous regardant, ils voient Jésus, son amour et sa compassion en nous, alors le monde, je le crois, connaîtra bientôt la paix et l'amour.

En vérité, la tendresse de l'amour divin est plus qu'extraordinaire. Quand nous contemplons la Croix, nous savons combien Jésus nous a aimés. Quand nous contemplons le tabernacle, nous savons combien Il nous aime maintenant. Sois seul avec Jésus, alors ton cœur sera rempli de la joie que Lui seul peut donner.

Efforce-toi de mettre la louange en pratique

dans ta vie. Tu verras alors la transformation de ton existence, de ta famille, de ta paroisse et de tout ton voisinage. L'Église est chacun de nous — toi et moi.

« Je t'ai appelé par ton nom, a dit Jésus. Tu es à moi. Tu es précieux à mes yeux. Je t'aime. » Si tu aimes le Christ, il te sera aisé d'appartenir pleinement à Jésus et de communiquer Jésus à quiconque tu rencontreras...

... Dieu m'aime. Je ne suis pas ici pour seulement remplir un rang, n'être qu'un matricule. Il m'a choisi en vue d'une finalité. Je le sais.

« *Je suis la lumière du monde. Qui me suit ne marchera pas dans les ténèbres, mais aura la lumière de la vie.* »

Jésus, *Jean* 8, 12.

En Dialogue

« *Venez les bénis de mon Père, recevez en héritage le Royaume qui vous a été préparé depuis la fondation du monde. Car j'ai eu faim et vous m'avez donné à manger, j'ai eu soif et vous m'avez donné à boire, j'étais un étranger et vous m'avez accueilli, nu et vous m'avez vêtu, malade et vous m'avez visité, prisonnier et vous êtes venu me voir... Dans la mesure où vous l'avez fait à l'un de ces plus petits de mes frères, c'est à moi que vous l'avez fait.* »

Jésus, *Matthieu* 25, 34-36 et 40.

Dans cet entretien, Mère Teresa parle ouvertement de l'ordre qu'elle a fondé, de son action à l'échelle planétaire pour « les plus pauvres des pauvres », et de sa foi. Cet entretien est le fruit de plusieurs conversations entre Mère Teresa et José Luis Bonzales-Balado.

Mère Teresa, considérez-vous aisée l'œuvre que vous menez parmi les pauvres ?
À l'évidence, rien de tout cela ne serait facile sans une intense vie de prière et un esprit de sacrifice ; sans que nous y percevions le pauvre — le Christ — qui continue à endurer les afflictions de Sa passion. Nous serions heureux si nous pouvions mener les pauvres à vivre ensemble de manière paisible. Il est difficile pour ceux qui ont été privés de la satisfaction des besoins fondamentaux de vivre en harmonie, d'être solidaires de leur voisin, de ne pas voir en eux de dangereux rivaux qui pourraient rendre leur misère plus aiguë encore ! C'est pourquoi nous ne pouvons leur offrir rien de moins que notre témoignage d'amour, que de

voir le Christ en chacun d'eux, nonobstant l'apparence répugnante qu'ils peuvent revêtir.

Comment faites-vous pour provoquer tant de vocations?

Dieu est celui qui nous les envoie. Ces jeunes viennent et voient. Parfois, ils viennent de très loin. Beaucoup d'entre eux ont appris pour la première fois que nous existions par la lecture des journaux.

Le nombre de Sœurs et de Frères dont vous disposez est-il suffisant?

Malheureusement, le besoin est toujours plus grand que notre capacité à y répondre.

Qu'est-ce qui vous pousse à ouvrir tant de nouvelles maisons?

Si Dieu continue à nous envoyer de si nombreuses vocations, et sans faiblir, nous pensons que ce n'est pas pour que nous les gardions cachées dans des couvents, mais plutôt parce que Dieu veut voir se multiplier l'œuvre d'aide aux plus pauvres des pauvres.

Sur quels critères créez-vous de nouvelles maisons en Inde et à l'étranger?

Nous n'en ouvrons aucune sans y avoir au préalable été invités par l'évêque du lieu. En fait, les présentes demandes d'aide dépassent de loin nos moyens. En règle générale, et en accord avec notre constitution, quand nous recevons une invitation, nous nous rendons d'abord sur place pour enquêter sur les conditions de vie des pauvres. Nous ne décidons jamais d'ouvrir une maison pour une autre raison que le service des pauvres. Habituellement, la décision est donc prise après enquête, sauf dans les cas d'urgence, c'est-à-dire d'extrême besoin.

Quelle importance accordez-vous aux formes ?

Infime ou nulle. Pour ce qui est de l'habit, même si le sari nous est devenu coutumier, nous serions prêts à le modifier ou à l'abandonner au cas où il serait un obstacle à notre intégration. Nous adopterions une autre robe si celle-ci devait être mieux acceptée là où nous nous sentons appelées à œuvrer.

D'où vient votre force pour accomplir cette œuvre ?

Nous sommes instruits, dès les débuts, à reconnaître le Christ sous le voile malheureux du pauvre, du malade, du réprouvé. Le Christ se présente Lui-même à nous, sous une forme chaque fois cachée. Le mourant, le paralytique, le lépreux, l'invalide, l'orphelin. La foi rend notre tâche — qui demande une préparation spécifique et une vocation particulière — aisée, ou à tout le moins plus supportable. Sans la foi, notre activité pourrait devenir un obstacle à notre vie religieuse puisqu'à chaque coin de rue nous rencontrons le blasphème, l'inclination au mal et le rejet de Dieu.

Dans votre travail, quelles importances revêtent les questions religieuses ?

Nous ne sommes pas des assistantes sociales, mais des missionnaires. Toutefois, nous nous efforçons de n'évangéliser que par le biais de notre travail, permettant à Dieu de se rendre manifeste en lui. Nous enseignons le catéchisme à nos enfants dans nos orphelinats. Avec les adultes nous ne prenons d'initiative que lorsqu'ils nous posent des questions ou demandent à être instruits dans la foi. Toutes les Sœurs reçoivent une bonne formation religieuse durant leur noviciat et suivent par la suite des préparations plus spécifiques. N'aimant guère nous substituer à ceux qui sont plus compétents en certaines matières que nous ne le sommes, nous nous adressons, par exemple, volontiers aux prêtres, leur soumettant les cas difficiles — outre évidemment les questions directement liées à leur ministère.

Quant au critère de notre action, il n'est pas fondé sur les croyances religieuses des nécessiteux, mais sur la nécessité elle-même. L'identité religieuse de ceux que nous aidons ne constitue pas un problème. Nous nous concentrons seulement sur l'état de misère et d'urgence.

Est-ce que les Missionnaires de la Charité ont une préférence parmi les personnes qu'ils aident ?

S'il devait en être une, ce serait pour les plus pauvres des pauvres, les abandonnés, ceux qui n'ont plus personne pour prendre soin d'eux, les orphelins, les mourants, les lépreux.

Selon certains, l'œuvre de l'Ordre, particulièrement dans les hospices pour les mourants, ne fait que prolonger la misère de ceux qui y sont reçus. Ceux qui recouvrent la santé retournent à la rue où ils rencontrent les mêmes problèmes : la pauvreté, la maladie. Que répondez-vous à cela ?

Chaque fois que cela est possible, nous tâchons de ne pas limiter notre prise en charge à de simples soins médicaux. Nous nous efforçons d'atteindre une complète réhabilitation humaine et sociale. Il est vrai que souvent ceux que nous avons recueillis préfèrent la liberté des rues aux espaces confinés de nos bâtiments. Mais c'est là une chose que nous ne pouvons empêcher. Nous agissons, persuadés que chaque fois que nous nourrissons un pauvre, nous offrons cette nourriture au Christ Lui-même. Que, chaque fois que nous vêtons un être dénudé, nous vêtons le Christ Lui-même. Que, chaque fois que nous accordons un toit à un mourant, nous accueillons le Christ Lui-même.

Il arrive aussi que l'on juge trop rudimentaire la formation médicale des Missionnaires de la Charité, particulièrement eu égard aux cas sérieux qu'ils rencontrent...

Je le sais. Notre formation médicale est limitée, mais nous nous efforçons d'aider et de prendre soin de gens qui, le plus souvent, n'ont personne pour s'occuper d'eux, même médicalement.

L'on dit aussi que l'attention que vous accordez à des cas désespérés pourrait être mieux canalisée, reportée sur d'autres.

Nous entendons aider tous ceux qui ont besoin d'aide. Notre préférence va toutefois à ceux qui en ont le plus grand besoin. Nous ne tournons le dos à personne, et personne n'est exclu de notre volonté de servir. Dans chaque

frère souffrant, nous voyons la ressemblance
du Christ souffrant. Même si nous devons limiter notre aide à un petit nombre, en raison
des nécessités ou du manque de moyens,
notre désir est d'étendre à l'infini le champ de
la charité.

*Mais n'est-il pas vrai que, parfois, vous faites
peu, ou ne pouvez faire que peu, pour les agoni-
sants?*

Nous pouvons, à tout le moins, leur laisser
une image essentielle : qu'il existe des gens
désireux de les aimer; les mourants sont aussi
des enfants de Dieu et méritent d'être aimés
autant, et peut-être plus, que n'importe qui
d'autre.

*N'éprouvez-vous jamais de la répulsion face à
une telle misère?*

Oui, cela peut arriver. Nous travaillons
essentiellement parmi les malades, les vieillards démunis, les lépreux et les orphelins. Et
nous ne pouvons nier que cette tâche nous est
souvent difficile, les conditions ne sont pas
toujours favorables. Mais tous, sans exception,
nous préférons agir parmi les pauvres que
parmi les riches. C'est l'œuvre de notre vie.
Pendant le noviciat, soit deux années, nous
consacrons la moitié de la journée aux

pauvres. Les novices travaillent sous la direction de Sœurs aguerries. Avant les vœux définitifs, soit pendant plusieurs années, nous sommes au service complet du pauvre. Notre travail devient ainsi presque une habitude, ce qui le rend plus facile, instinctif et, en quelque sorte, naturel sans qu'il devienne pour autant machinal.

Quelle signification attribuez-vous à cette mission, qui est la vôtre, de secourir ?

Le fait de servir ne se limite pas seulement à offrir un soulagement matériel. Nous voulons aussi donner au pauvre tout ce qui est nécessaire pour qu'il ne se sente pas abandonné, et qu'il puisse se sentir entouré. Nous entendons pleinement réaliser par notre travail le sentiment qu'un haut fonctionnaire de notre pays confiait à certaines de nos Sœurs : « C'est le Christ qui est de nouveau en train de marcher au milieu de nous, faisant le bien en faveur des hommes. »

Que faites-vous pour les lépreux ?

Nous assistons plus de vingt mille personnes frappées par cette maladie à Calcutta, et plus de cinquante mille dans toute l'Inde. Nous savons que cela n'est rien dans un pays qui compte quatre millions de victimes de la lèpre.

La première chose que nous faisons, pour ceux que nous accueillons, est de les convaincre qu'ils ont réellement cette maladie. Nous leur procurons le traitement nécessaire et nous essayons de les soigner. Aujourd'hui, les lépreux n'ont plus à vivre en reclus. Si nous intervenons à temps, ils peuvent guérir totalement. Les Sœurs s'efforcent donc, en premier lieu, de persuader les gens qu'il faut combattre la maladie. En Inde, la lèpre est considérée, par la mentalité religieuse populaire, comme une punition divine. Les Sœurs font tout leur possible pour éradiquer cette croyance et établir un véritable traitement de la lèpre.

De qui recevez-vous de l'aide ?

De tout le monde, Dieu soit loué ! Nous avons des Collaborateurs et des bienfaiteurs qui sont hindous, musulmans, parsi, juifs, bouddhistes, protestants et, naturellement, catholiques.

Avez-vous jamais pensé que vous pourriez vous retrouver d'un coup sans ressources ?

Nous n'avons jamais d'excédents, mais nous n'avons, aussi, jamais manqué de ce dont nous avions besoin. Cet équilibre se produit toujours de manière hasardeuse, presque miraculeuse. Nous nous réveillons, un beau matin, dépourvus de ressources avec l'angoisse de ne pas pouvoir nous tourner vers les nécessiteux. Quelques heures passent, et puis, arrivent un approvisionnement, des fonds généralement inattendus et souvent anonymes. Les donateurs ont une religion ou, parfois, n'en ont pas ; ils peuvent être riches ou bien pauvres, leur sollicitude vient de partout.

De quoi est fait votre travail ?
Ce n'est rien d'important par soi ou en soi. C'est certainement la tâche la plus humble qui puisse exister. Nous pensons que sa valeur provient de l'esprit d'amour pour Dieu qui l'inspire. Il est impossible d'aimer Dieu sans aimer le prochain. Dans le même temps, aucun Missionnaire de la Charité n'oublie les paroles du Christ, et il ou elle s'efforce donc de nourrir, de vêtir le Christ, de Le visiter dans la personne du démuni.

Qu'en est-il de votre activité auprès des enfants abandonnés ?
C'est avec eux que nous avons commencé et c'est avec eux que nous sommes toujours, même si notre activité ne se limite pas à eux. Les orphelins, les enfants abandonnés relèvent malheureusement de cette sorte d'enfants dont il n'y a jamais pénurie. Dans les premières

années de la communauté, un policier nous amena une bande de gamins arrêtés alors qu'ils commettaient un vol. Ils étaient trop jeunes pour être envoyés en prison avec les criminels de droit commun. Je leur demandai pourquoi ils avaient agi ainsi. Ils m'expliquèrent que, chaque soir, de cinq à sept, des adultes leur donnaient un cours de cambriolage.

Quel futur peuvent espérer les enfants que vous secourez?

Je ne crois pas qu'il y ait un meilleur moyen d'aider l'Inde que de préparer un meilleur lendemain aux enfants d'aujourd'hui. Nous prenons soin des plus pauvres de ces enfants, ceux ramassés dans les bidonvilles. Pour chacun d'entre eux, il n'est besoin que d'un budget de quelques dollars par mois. Et c'est un phénomène émouvant de voir des enfants d'autres pays — français, anglais, allemands, espagnols, italiens, etc. — donner pour cela une partie de leurs économies. Nous ouvrons un livret d'épargne à chaque enfant que nous accueillons. Avec l'âge, et s'il en est capable, il reçoit une éducation secondaire. Ceux des enfants qui ne montrent pas d'aptitude scolaire reçoivent une formation professionnelle afin qu'ils puissent plus tard s'assumer.

Vous êtes le témoin de terribles injustices. Comment y réagissez-vous ?

Les injustices, tout un chacun peut les voir. C'est le rôle des organisations internationales de promouvoir une amélioration du niveau de vie parmi les masses qui souffrent de l'injustice. Nous nous trouvons en contact quotidien avec ceux qui ont été rejetés par la société. Notre premier but est d'aider ces gens à parachever leur développement. Nous essayons de restaurer le sens de la dignité qu'ils devraient avoir en tant qu'êtres humains et en tant qu'enfants du même Père. Pour ce faire, nous n'avons pas à contrôler, au préalable, s'ils sont mourants ou s'ils disposent d'une longue existence devant eux.

Le gouvernement indien vous aide-t-il ?

Nous ne recevons aucune aide directe, mais nous devons reconnaître que le gouvernement nous soutient, et de manière effective, par la confiance, l'estime et le respect qu'il nous montre. Ce soutien se manifeste sous des formes variées comme, par exemple, l'obtention de terrains ou encore la gratuité des transports ferroviaires.

Bénéficiez-vous d'un statut particulier? Vos importations sont-elles libres et défiscalisées?

La nourriture, les médicaments, l'équipement médical, les vêtements, et tout ce qui est nécessaire à notre activité — meubles, machines à écrire, machines à coudre —, tout cela nous l'importons librement. Pour le reste nous avons besoin d'une autorisation. Mais tous ces biens sont des dons, destinés aux pauvres, et ne font l'objet d'aucune transaction. Ils vont tous aux nécessiteux quelles que soient leur race, idéologie ou religion. Et ils sont si nombreux ceux qui sont dans le besoin! Tout ce que nous avons à faire est de déclarer au gouvernement la nature de ces dons. Et le gouvernement, sachant pertinemment leur usage, délivre les autorisations nécessaires. L'on sait que rien n'atterrit dans nos poches. Tout est restitué aux pauvres. D'où une relation de confiance.

Comment est administré ce que vous recevez?

Nous avons un livre de comptes dans lequel nous portons tout ce que nous recevons, tout ce que nous dépensons, tout ce qui est affecté, et à quoi. Par exemple, si quelqu'un donne cent roupies pour les lépreux, nous utilisons cet argent seulement à cette fin. Nous respectons la volonté des donateurs.

Le gouvernement indien semble disposé à restreindre l'activité des missionnaires étrangers. Êtes-vous touchés par ces mesures ?

Nous sommes une institution née en Inde, où est notre maison mère. Ces dispositions ne nous concernent donc pas. Dans le même temps, nous évitons tout autre moyen d'évangélisation que notre œuvre. Celle-ci suffit à notre témoignage. Si quelqu'un que nous avons secouru veut devenir catholique, il doit aller voir un prêtre. Notre seule finalité religieuse est de rapprocher de Dieu tous ceux que nous croisons.

Recevez-vous par ailleurs d'autres aides ?

Oh, oui ! Nous avons compté sur l'aide des autres depuis le début. Surtout les laïcs liés à l'Ordre. Nous les appelons des Collaborateurs. Ils présentent une grande diversité, à commencer par les enfants de plusieurs pays qui donnent leurs économies ou organisent des collectes pour leurs frères et sœurs d'Inde. Même si la notoriété de notre ordre est indéniable, nous pourrions peu de chose sans l'aide généreuse de milliers et de milliers de Collaborateurs à travers le monde.

Tous les ordres n'ont pas gardé l'esprit originel de leur fondation. Les Missionnaires de la Charité pourraient-ils perdre le leur?

Parmi nos vœux, le quatrième nous engage à servir en toute gratuité les plus pauvres parmi les pauvres. Ceci devrait nous préserver du danger que vous mentionnez. Notre mission est si claire qu'il ne peut y avoir de confusion. Les pauvres savent qui ils sont, et quel est leur rang. Ils sont la raison de la fondation de notre Ordre. En Christ, ils sont notre raison d'exister.

Êtes-vous parfois tentés d'œuvrer parmi les riches, là où tout vous serait plus facile?

Les pauvres sont la raison de notre existence. Nous sommes nés pour eux et nous nous vouons seulement à eux, sans qu'aucune tentation ne puisse nous détourner d'eux.

Vous efforcez-vous de présenter un message religieux particulier à travers votre activité?

L'amour ne contient pas d'autre message que lui-même. Chaque jour nous essayons de vivre de l'amour du Christ d'une manière très concrète, par chacune de nos actions. Prêcher, nous le faisons par nos actions, nos gestes, et non pas avec des mots. C'est notre façon de témoigner de l'Évangile.

Vous sentez-vous aimé par le peuple ?

Oui, par la plus grande partie des gens. Même si les conditions extrêmes dans lesquelles vit la majorité des Indiens rendent difficilement perceptible notre amour inconditionnel. Les gens voient que nous vivons parmi eux, et dans la pauvreté, comme eux. Ils estiment hautement ce fait. Tout n'est pas toujours paisible pour autant. Il arrive qu'il y ait des bouffées de jalousie, d'impatience, quand nous ne pouvons leur donner tout ce dont ils ont besoin, ou qu'ils demandent, ou quand certains tolèrent mal que nous donnions d'abord à de plus nécessiteux. Quand une telle chose advient, la raison est de peu de poids. Il faut attendre le retour au calme. Une fois celui-ci revenu, on note presque toujours une profonde modification d'attitude.

Y a-t-il des conversions au catholicisme parmi les gens que vous secourez ?

Oui, il y a des conversions, mais sans que nous ayons jamais essayé de les encourager directement. Par la pratique chrétienne de l'amour, nous nous rapprochons de Dieu et nous tâchons d'aider les autres à faire de même, mais sans soumettre qui que ce soit à une quelconque forme de pression religieuse. Quand l'on accepte l'amour, l'on accepte Dieu, et vice versa. Tel est notre témoignage. Dans le même temps, ce serait une erreur d'oublier que nous vivons en Inde au sein d'un peuple fier de ses traditions culturelles et religieuses, et qui, pour cette raison, conçoit avec méfiance toute forme de prosélytisme.

Quels sont les liens des Missionnaires de la Charité avec leur famille ?

Dès le moment que nous nous consacrons à servir les pauvres, ceux-ci deviennent notre famille. Il va de soi qu'il ne s'agit pas de nier les relations de sang avec notre famille biologique, mais les contacts demeurent peu fréquents. Seules des circonstances exceptionnelles — par exemple, avant de partir en mission à l'étranger — légitiment une visite. Faire plus est impossible. D'abord, en raison de notre pauvreté : nous n'avons pas d'argent à dépenser dans des voyages. Ensuite, parce qu'aucun d'entre nous ne peut abandonner son poste alors que les malades, les mourants, les lépreux, les orphelins n'ont personne d'autre pour prendre soin d'eux.

Que pensez-vous des nombreuses distinctions internationales que vous avez reçues ?

Encore et toujours la même chose : je ne les mérite pas. Je les accepte volontiers, non pas seulement pour saluer la gentillesse de ceux qui me les ont décernées, mais aussi pour tout ce qu'elles représentent aux yeux de nos pauvres. Je pense, enfin, qu'elles aident l'opinion à considérer favorablement l'œuvre que nous, les Missionnaires de la Charité, accomplissons parmi les plus pauvres des pauvres.

Prières et Poèmes

Prière quotidienne des Missionnaires de la Charité
(inspirée d'une oraison du Cardinal J. H. Newman)

Seigneur très aimé,
Aide-moi à répandre Ton parfum où que j'aille,
Fais déborder mon âme de Ton esprit et de Ta vie.
Entre dans ma vie ; prends-en possession jusqu'à ce qu'elle ne soit plus qu'une radiance de la Tienne,
Resplendis à travers moi et sois présent en moi au point que chaque âme rencontrée perçoive Ta présence en mon âme,
Qu'ils lèvent les yeux et qu'ils ne me voient plus, mais ne voient plus que toi ô Seigneur !
Et demeure en moi pour qu'à mon tour je commence à resplendir comme Tu le fais, à resplendir au point d'en devenir une lumière pour les autres.

La lumière, ô Seigneur sera alors toute Tienne et rien d'elle ne sera mien, ce sera Toi illuminant les autres à travers moi,

Laisse-moi Te louer de la louange que Tu aimes par-dessus tout,
En répandant Ta lumière sur ceux qui sont alentour.

Laisse-moi T'annoncer sans prêche, non pas par les mots mais par l'exemple, par la puissance d'attraction, par l'influence bénéfique de ce que je fais, par l'évidence que mon cœur te porte en plénitude.
Amen.

Prière quotidienne des Collaborateurs
(inspirée d'une oraison de saint François d'Assise)

Rends-nous dignes, Seigneur, de servir nos frères humains qui, de par le vaste monde, vivent et meurent dans la misère et la faim.

Donne-leur ce jour, par nos mains, leur pain quotidien et, par notre amour affectueux, accorde-leur la paix et la joie.

Fais de moi, Seigneur, un signe vivant de ta paix, afin que là où est la haine, je puisse apporter l'amour ; là où est le mal, je puisse apporter la miséricorde ; là où est la discorde, je puisse apporter l'harmonie ; là où est l'erreur, je puisse apporter la vérité ; là où est le doute, je puisse apporter la foi ; là où est le désespoir, je puisse apporter l'espoir ; là où règnent les ténèbres, je puisse apporter la lumière; là où il y a la tristesse, je puisse apporter la joie.

Seigneur, accorde-moi de chercher à consoler plutôt qu'à être consolé; à comprendre plutôt qu'à être compris; à aimer plutôt qu'à être aimé car c'est en s'oubliant que l'on se trouve, en pardonnant que l'on est pardonné, et en mourant que l'on s'éveille à la vie éternelle.

Prière de Mère Teresa
Ô Jésus

Toi qui souffres, accorde-moi ce jour et tous les jours de ma vie de Te voir dans l'affligé — et en le servant, de Te servir.

Accorde-moi de Te reconnaître lorsque Tu Te caches sous la forme infâme de la colère, du crime, de la démence, et de Te dire : « Jésus, Toi qui souffres, combien il est doux de te servir. »

Donne-moi, Seigneur, la vision de la Foi, et mon labeur ne sera jamais monotone, et ma joie sera toujours parfaite à combler les désirs, jusqu'au plus modeste caprice, de tous les pauvres qui souffrent.

Et toi, cher malade, d'autant plus cher à mon cœur que tu figures le Christ, sache qu'il m'est un honneur de te servir.

Ô Dieu, Toi qui m'es Jésus qui souffre, daigne m'être aussi Jésus patient, miséricordieux envers mes fautes, attentif à mes seules intentions qui sont de Te servir et de T'aimer en chacun de Tes enfants souffrants.

Seigneur, accrois ma foi. Bénis mes efforts et mon labeur, maintenant et dans les siècles des siècles.

Poèmes de Mère Teresa
Ce qui est agréable à Dieu

1

Suis-moi au pays de la pauvreté,
Là où règne la mort sans cesse recommencée,
Suis-moi au pays de l'inhumanité.

Ne vois-tu donc pas leur faim, as-tu oublié
jusqu'à la Charité?
Êtres, tout comme toi et moi, de larmes et de
sourire mêlés,
Ils crient au secours, ne se souciant pas de tes
vagues pensées.

Refrain
Que chacun manifeste à l'autre ce qui est
agréable à Dieu par-dessus tout,
Quelque chose d'agréable, de beau qui manifeste
son amour,
Quelque chose de beau pour Dieu par-dessus
tout,

Quelque chose de beau qui rende manifeste
l'amour.

2

Longue est la nuit, pour tous, lorsque le jour
s'éteint.
Un enfant pleure, qui vivra peut-être jusqu'au
matin
Sachant pourtant que pourrait ne jamais venir le
matin.
À travers le monde, condamnés à la pauvreté,
vivent nos frères humains,
Et il n'est nul endroit où ils ne sont, si nous
avions les yeux pour voir,
Si nous voulions regarder, si nous voulions le
savoir.
Montre aux hommes l'amour qu'Il t'a montré
Et nourris Son troupeau de la manne qu'Il t'a
donnée,
Car il aime chacun d'eux de l'amour dont Il t'a
aimé.

L'Amour

L'amour va, la bordure de sa robe
Traînant dans la poussière,
Lavant de leurs souillures
Les rues et les chemins.

Et ce, parce qu'il le peut,
Et ce, parce qu'il le doit.

Esquisse d'une biographie

« Voici ta mère. »
Jésus, *Jean* 19,26.

Née dans l'Europe balkanique en 1910, décédée à Calcutta, au cœur du continent indien en 1997, Agnès Gonxha Bojaxhiu, plus connue sous son nom de moniale, Mère Teresa, aura incarné la figure de la charité chrétienne au cours du XXe siècle par son travail incessant auprès des déshérités. Une œuvre qui lui aura valu l'estime de l'opinion mondiale, de nombreuses distinctions internationales — dont le prix Nobel de la Paix —, ainsi qu'une vraie familiarité avec les grands de ce monde, papes, présidents ou rois. Mère Teresa n'en continua pas moins cependant à accomplir, au sein de son ordre, les tâches les plus ordinaires dans le droit-fil de son insistance sur la nécessité de redécouvrir l'humilité. Femme à l'immense notoriété et popularité, elle restera avant tout comme la fondatrice d'un ordre, les Missionnaires de la Charité, qui compte aujourd'hui plus de 4 000 Frères et Sœurs, répartis en 107 maisons.

Plus que toute autre, la description que donne le psalmiste du serviteur fidèle caractérise Mère

Teresa : « Plantés dans la maison du Seigneur, ils pousseront dans les parvis de notre Dieu, dans la vieillesse encore ils porteront fruits, restant vigoureux et florissants, pour publier que le Seigneur est droit : il est mon rocher, en lui il n'y a rien de faux. » (Psaume 92, 14-16.)

16 août 1910 : une fille naît dans la famille Bojaxhiu qui, albanaise d'origine, vit à Skopje, en Macédoine. Elle est le troisième et dernier enfant de Nikolle Bojaxhiu et Drana Bernai, qui se sont mariés en 1900. Sa sœur, Aga, est née en 1905 ; son frère, Lazar, est né en 1907.

27 août 1910 : l'enfant est baptisée à la paroisse du Sacré-Cœur-de-Jésus et reçoit le nom de Gonxha (Agnès). Ses parents sont de pieux catholiques, particulièrement sa mère.

1919 : Nikolle, son père, meurt brutalement, semble-t-il après avoir été empoisonné lors d'une réunion politique. Nationaliste convaincu, il occupait les fonctions de conseiller municipal.

1915-1924 : au cours d'une enfance ordinaire et d'une scolarité normale, Agnès ne se distingue que par sa santé délicate et un goût prononcé pour les vies des saints et les récits de missionnaires qu'elle découvre en participant à l'organisation de jeunesse catholique « Les Filles de Marie ».

Mère Teresa résumera ainsi ses jeunes années : « Nous étions très unis, particulièrement après la mort de mon père. Nous vivions l'un pour l'autre et chacun faisait de son mieux pour que tous soient heureux. Nous étions une famille unie et très heureuse. »

Lazar, le fils unique, en aura surtout retenu la dimension religieuse : « Nous vivions près de l'église paroissiale du Sacré-Cœur-de-Jésus. On aurait pu croire que ma mère et mes sœurs avaient décidé de partager également leur temps entre l'autel et la maison. Elles étaient mêlées à tout : le chœur, les offices, les conférences missionnaires. » Non sans insister aussi sur la générosité de sa mère : « Elle ne permettait jamais à aucun des nombreux pauvres qui nous rendaient visite de repartir le ventre vide. Lorsque nous lui en faisions le reproche, même muet, elle disait : "N'oubliez pas que même si ce ne sont pas des membres de la famille, et même si ce sont des pauvres, ils n'en restent pas moins nos frères." »

À l'âge de douze ans, Agnès ressent pour la première fois, quoique de manière diffuse, l'appel à mener une vie religieuse. Les prêtres de sa paroisse, des jésuites, l'encouragent à s'intéresser à l'œuvre missionnaire. C'est à ce moment que Lazar part pour l'Autriche où, après des études à l'Académie militaire, il deviendra officier de cavalerie.

1928 : la vocation d'Agnès se voit confirmée par un signe clair. Alors qu'elle était en prière devant l'autel de la protectrice de Skopje, « Notre Dame intercéda pour moi et m'aida à découvrir ce à quoi j'étais appelée ». Toujours sous la direction d'un père jésuite, Agnès demande à entrer dans l'ordre des Sœurs de Notre-Dame-de-Lorette, fondé au xvi⁰ siècle par Mary Ward. Elle se sent attirée par le travail missionnaire en Inde.

26 septembre 1928 : admise comme postulante, Agnès traverse l'Europe pour rejoindre Dublin et la maison-mère des Sœurs de Notre-Dame-de-Lorette.

1ᵉʳ décembre 1928 : après deux mois d'un cours intensif d'anglais, Agnès embarque sur un bateau à destination de l'Inde où elle arrive le 6 janvier 1929 après trente-sept jours de traversée. Agnès ne reste à Calcutta qu'une semaine avant d'être envoyée à Darjeeling, sur les contreforts de l'Himalaya, où elle commence son noviciat.

24 mai 1931 : les deux années de noviciat achevées, Agnès prononce des vœux temporaires, changeant son nom de baptême en Teresa : « J'avais moi-même choisi ce nom, sans penser toutefois à la grande Thérèse d'Avila mais à la petite Thérèse de Lisieux. »

1931-1937 : Sœur Teresa vit à Calcutta où elle travaille comme professeur d'histoire et de géographie à l'école Sainte-Marie, une institution qui dépend de son ordre.

24 mai 1937 : après plusieurs renouvellements de ses vœux temporaires, Sœur Teresa prononce les vœux définitifs et devient directrice des études à Sainte-Marie. « J'étais la Sœur la plus heureuse de

Lorette. Je me consacrais complètement à l'enseignement qui, accompli pour l'amour de Dieu, est un authentique apostolat. Je m'y plaisais beaucoup. »

10 septembre 1946 : Dieu l'appelle à servir les pauvres. Mère Teresa nommera cet événement « le jour de l'inspiration ». Selon son propre récit : « Alors que je me rendais par train de Calcutta à Darjeeling pour participer à une récollection d'exercices spirituels, je priais paisiblement lorsque je ressentis clairement une autre vocation au-dedans de ma vocation. Le message était sans ambiguïté. Je devais quitter le couvent et me consacrer entièrement à aider les pauvres en vivant parmi eux. C'était un ordre. Je connaissais le terme du voyage, mais j'ignorais tout de la route et des moyens de l'emprunter. »

1948 : quitter les Sœurs de Lorette se révèle difficile et douloureux. Sœur Teresa doit obtenir une autorisation spéciale de Rome sur la recommandation préalable de sa hiérarchie. Finalement, elle reçoit la permission de mener une vie consacrée hors clôture. Le 16 août, elle renonce à l'habit des sœurs de Notre-Dame-de-Lorette et revêt un sari blanc comme en portent les pauvres indiennes, mais bordé d'un galon bleu symbolisant sa volonté d'imiter Marie, mère de Dieu. Après un bref stage d'infirmière, Mère Teresa rejoint les bidonvilles de Calcutta qu'elle ne quittera plus. Cette même année, elle demande et obtient la citoyenneté indienne.

19 mars 1949 : une première disciple rejoint Mère Teresa, Subashini Das, l'une de ses anciennes élèves qui, lors d'une visite impromptue, décide de rester à son côté. Elle sera la première moniale d'un ordre encore inexistant.

10 juillet 1950 : Rome autorise l'Ordre des Missionnaires de la Charité. Très vite, d'autres jeunes filles suivent l'exemple de Subashini Das. Comme le racontera Mère Teresa « toutes, elles m'avaient connue à l'école, et toutes, elles voulaient se donner à Dieu, étaient pressées de le faire ».

7 octobre 1950 : le décret de fondation est promulgué à Rome, en la fête de Notre-Dame-du-Rosaire. Dix postulantes entament un noviciat de deux ans.

1952 : Mère Teresa fonde un hospice pour les mourants. L'Ordre compte une trentaine de femmes dont douze ont déjà prononcé leurs vœux solennels.

Les Sœurs n'ont toujours pas de couvent, et vivent dans un appartement prêté par un bienfaiteur. Elles se consacrent à la prière, l'étude, le catéchisme tout en prenant soin des enfants abandonnés, des clochards et des malades dans les bidonvilles. Le 22 août, en la fête de Marie Immaculée, Mère Teresa ouvre une maison pour les plus démunis au cœur de Calcutta, dans le temple hindou de Kalighat. Nommé *Nirmal Hriday*, « la Maison du Cœur Pur », par souci des autochtones, ce refuge ne désemplira jamais plus.

1953 : la maison mère de l'ordre est fondée. « Submergeant le ciel de leurs prières », les Sœurs ont pu acheter un bâtiment, sis 54 Lower Circular Road. L'endroit, pour l'heure spacieux, deviendra le quartier général de l'ordre. Dans la même rue, les Sœurs ouvrent un foyer pour orphelins — ce sont souvent les enfants d'indigents décédés à l'hospice des mourants. Elles ont aussi le projet de fonder une maison pour les lépreux, mais doivent renoncer face à l'hostilité populaire. Il leur faudra donc se contenter d'infirmeries « mobiles » jusqu'à l'ouverture des centres de Titagahr et de Shanti-Nagar, dans la banlieue de Calcutta.

1962 : Mère Teresa reçoit l'ordre du Lotus et le prix Magsaysay qui consacrent la reconnaissance dont elle bénéficie en Asie alors qu'elle demeure inconnue en Occident.

1er février 1965 : l'Ordre compte désormais trois cents Sœurs venues de tous les horizons ainsi que plusieurs maisons. À Rome, le pape Paul VI, sur la recommandation des évêques d'Asie, le décrète « digne d'éloges » et lui confère une pleine validité canonique dans tous les ressorts de l'Église catholique. L'invitation immédiate de l'archevêque de Barquisimeto, au Venezuela, à ouvrir un foyer, marque le début d'un extraordinaire rayonnement missionnaire.

1965-71 : de nouvelles maisons sont ouvertes dans le monde entier — en Afrique, en Australie, en Europe —, à l'invitation des évêques du lieu. Paul

VI en personne invite les Missionnaires de la Charité à s'installer à Rome. Le Pape, admirateur et
bienfaiteur de Mère Teresa, donne à celle-ci la
citoyenneté vaticane afin de faciliter ses voyages
missionnaires.

3 mars 1969 : Paul VI approuve la constitution des
Collaborateurs et devient lui-même, par là, associé
à l'Ordre.

26 mars 1969 : la fraternité des Collaborateurs des
Missionnaires de la Charité est officiellement éta-
blie. Cette organisation internationale de laïcs
connaîtra une croissance foudroyante, au point
qu'il sera toujours difficile de compter ses
membres.

1970 : Mère Teresa reçoit plusieurs prix internatio-
naux — le *Good Samaritan Award* aux États-Unis,
le *Templeton Award* en Angleterre, le *Prix
Jean XXIII de la Paix* en Italie. Grâce aux efforts de
la presse, son œuvre déclenche un vif enthou-
siasme en Occident.

12 juillet 1972 : Drana Bernai, sa mère, meurt en
Albanie, empêchée par les autorités communistes,
et jusqu'au dernier moment, de sortir du territoire.

1974 : Aga Bojaxhiu, sa sœur, restée elle aussi en
Albanie, décède à son tour.

17 octobre 1979 : le prix Nobel est décerné à Mère
Teresa. Lors de son discours de réception, le

10 décembre, elle déclare ne l'accepter « qu'au nom des pauvres » auxquels elle a voué sa vie.

1980-85 : l'Ordre reçoit toujours plus de nouvelles vocations et ouvre toujours plus de nouvelles maisons : 18 en 1981, 12 en 1982, 14 en 1983. Il est désormais présent au Liban, en Allemagne, en Yougoslavie, au Mexique, au Brésil, au Pérou, au Kenya, à Haïti, en Espagne, en Belgique, etc.

1986-89 : l'Ordre s'attache à s'installer dans des pays habituellement fermés aux missionnaires : l'Éthiopie, le Yemen du Sud, et l'U.R.S.S. où, sur l'invitation de Mikhaïl Gorbatchev, Mère Teresa ouvre un foyer au cœur de Moscou.

Février 1986 : le pape Jean-Paul II, lors de son voyage officiel en Inde, rend longuement visite à Mère Teresa.

21 mai 1988 : les Missionnaires de la Charité ouvrent à Rome un important refuge pour les sans domicile; il est nommé « Un Don à Marie », en commémoration de l'année mariale.

1988-89 : Mère Teresa est hospitalisée à deux reprises à la suite de troubles cardiaques qui nécessitent la pose d'un stimulateur. Ce n'est point la première fois qu'elle compromet ainsi sa santé par une incessante et débordante activité. Le Pape en personne lui demande de prendre meilleur soin d'elle-même.

16 avril 1990 : pour « raison de santé » et afin de mieux servir l'Ordre de l'intérieur, Mère Teresa renonce à demeurer plus longtemps Supérieure générale des Missionnaires de la Charité.

Septembre 1990 : en dépit de son âge et de son état, Mère Teresa n'en est pas moins obligée de sortir de sa retraite après avoir été spontanément réélue Supérieure générale de l'Ordre.

Janvier 1991 : durant la guerre du Golfe, peu avant l'intervention militaire, Mère Teresa lance un appel à George Bush et Saddam Hussein afin que soient épargnés « les innocents ». Dès la fin des hostilités, un groupe de Sœurs est envoyé à Bagdad, pour y prendre soin des victimes du conflit.

1991-93 : l'état de santé de Mère Teresa s'aggrave. Par deux fois, à Mexico et à Delhi, elle s'évanouit en public. Ce qui ne l'empêche pas de se rendre à Pékin en 1993.

30 août 1993 : soucieuse de l'avenir de l'Ordre, Mère Teresa décide que seuls seront désormais considérés comme des Collaborateurs, les laïcs directement impliqués dans l'action des Missionnaires de la Charité.

Avril 1996 : Mère Teresa est hospitalisée à la suite d'une fracture de la clavicule occasionnée par une chute.

Août 1996 : Mère Teresa est de nouveau hospitalisée, les crises de malaria aggravant son état de complications pulmonaires. Aussitôt sortie, elle reprend son labeur quotidien parmi les pauvres des bidonvilles.

5 septembre 1997 : Mère Teresa s'éteint « dans la paix du Seigneur ». Le monde entier pleure celle que la presse internationale célèbre comme « une sainte contemporaine ».

Table des matières

Achevé d'imprimer en Allemagne
par GGP
pour France Loisirs
en Avril 1998

*Cet ouvrage est imprimé
sur du papier sans bois et sans acide.*

Imprimé en Allemagne
N° d'éditeur: 27449
Dépôt legal : mai 1998